司法書士

2020/2/28

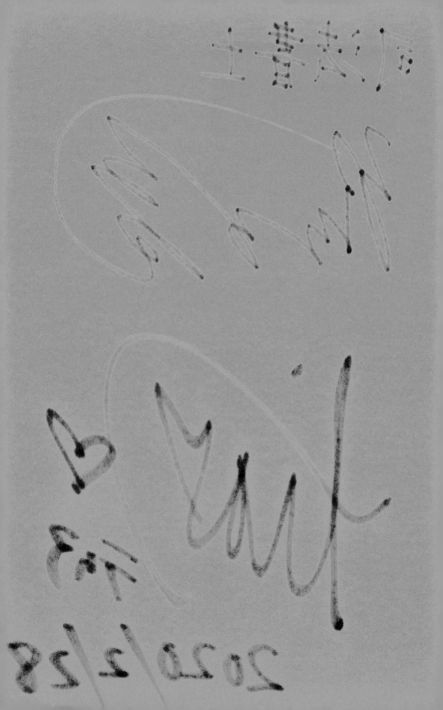

今さら聞けない…
お金の悩みを解決する本

借金は9割返せる！

Clover
クローバー出版

はじめに

【債務整理実務歴12年】
【借金問題の解決件数1万件】
【金融業者から回収した過払い金累計12億6800万円】
※右記の数字は実際に関係機関等に申告している数字です。

●借金の問題でお困りですか？

本書を手に取っていただいているということは、多かれ少なかれ、借金のことが気になっているということだと思います。それは自分自身の借金でしょうか？　それとも、家族や恋人など、あなたにとって大切な人の借金でしょうか？

私はこれまでに司法書士として12年もの間、債務整理の現場に立ち、数多くの借金問題に携わってきましたが、実は依頼人の大多数があなたと同じような主婦、サラリーマン等のいわゆる『普通の人』です。

『普通の人』がちょっとしたことで多重債務者になってしまう、動かざる事実があります。

●ノンフィクションで事例を紹介しています

本書では、借金のことが気になりだした方、本格的に借金で困っている方、自分にとって大切な人が借金で苦しんでいる方などに向けて、その解決方法と、実際に弊所が手掛けて解決した事例をノンフィクションで、そのまま掲載しております（本人が特定できない程度の修正は加えてあります）。

今、債務整理の現場ではどのような案件が持ち込まれて、どのように解決されているのかがわかります。

●１万件を超える借金問題を解決、金融業者から累計12億６８００万円を回収

弊所は、司法書士は私１人、あとは事務員数名という街の小さな法務相談所です。

幅広く業務を展開しておりますが、ご依頼で特に多いのは、債務整理（借金問題の解決）です。

事務所を開設して以来、1万件を超える借金問題を解決、これまでに金融業者から回収した過払い金は累計12億6800万円にのぼります。これは個人事務所としては全国でもトップクラスの実績だと自負しております。

そして、この経験とノウハウは、依頼人の生活再建に大きく活かされています。

また、不動産が絡む案件にワンストップで対応する為、不動産会社（ふくだ法務不動産株式会社）も所有しております。

本書では、昨今の多重債務者の状況や債務整理の現場の様子を伝えつつ、借金問題で困窮している方に解決への道筋を示しています。今現在多額の借金を抱えている方はもちろんのこと、まだそこまで困ってはいない方も、ぜひ一読いただきたい内容ばかりです。

普通の生活を送っていた真面目な方が、どうして多額の借金を抱えるようになってしまうのか。「明日は我が身」と心していただき、『転ばぬ先の杖』としてご活用いただければ幸いです。

目次

第4章　「もうダメだ」と思ったら、プロに相談

おことわり：本書の内容は執筆時点における法律・実務動向・著者の実務経験に基づいております。
これらは流動的で、変化するものであることをご了承ください。

第1章

普通の人が多重債務者になる時代

1　借金が簡単になった

多重債務に陥ってしまう要因の一つに、借金がとても気軽に簡単にできるようになったという背景があります。

生活の一部、クレジットカード払い

スーパーでの日々の食材の買い出し、洋服や靴を買うとき、レストランでの食事など、わざわざ銀行に行って現金を下ろしてこなくても、クレジットカードがあれば簡単に決済可能です。キャッシュレス化が進み、カード決済可能なお店やサービスはどんどん増えています。

２０１８年の調査では、日本でのクレジットカード発行枚数は約２億８０００万枚にのぼり、１人平均２・２枚ものクレジットカードを持っている計算になります（※）。

お店のレジでカードを渡し、名前をサインしたり暗証番号を入力したりするだけで、簡単に支払いができる。５００円のお菓子を買っても、２万円のスーツを買っても、財布の中身は変わりません。手元にお金がなくても物が買えるという体験を繰り返すうちに、だんだん金銭感覚が鈍っていきます。

そして、カード会社から届くこんなお知らせ。

「ショッピング枠が１００万円に増額されました」

すると、なんだか１００万円を持っているかのような錯覚に陥ってしまうのです。だって、カードで１００万円の支払いができるのですから。

ショッピング枠の増額に従って、だんだん気が大きくなっていきます。カードをかなり使っていても、まだショッピングの利用可能枠が50万円も残っている。するとまるで、その50万円が自分の預金残高であるかのような錯覚を起こしてしまうのです。

こうして、少しずつ毎月の使用金額が増えていきます。しかし、ショッピング枠が増額されたからといって、残念ながら収入が増えるわけではありません。じわりじわりと返済が厳しくなっていくのです。

（※日本クレジット協会　クレジットカード発行枚数調査結果より）

借金の感覚を麻痺させるキャッシング機能

借金をするつもりはなくても、クレジットカードの1枚も持っていなければ、今の時代、生活はとても不便です。インターネット回線を契約するとき、カードでの支払いしか受け付けていないサービスがありますし、Amazonや楽天といったネットショップを利用するときも、クレジットカード決済が当たり前。クレジットカードがないと、生活に支障が出てくる。そんな時代になっています。「ないと不便だからクレジットカードを作ろう」と、仕方なくクレジットカード会社と契約する方も多いのではないでしょうか。

クレジットカードを作ると、まず間違いなくキャッシングの機能がついてきます。ほとんどの人が、契約当初はクレジットカードのキャッシング枠を使いません。しかし、何かのきっかけでお金が足りなくなったときや、5000円とか1万円とか、ちょっとしたお金が手元にないとき、ふと自分のクレジットカードにキャッシング枠があることを思い出すのです。

普段はスーパーなどで日用品を買うときに使っていたクレジットカード。そこから1万円だけ借りる。「来週は給料日だから、すぐに返せる」と思って。

スーパーの出入り口付近やショッピングセンターなど、いたるところにキャッシングのＡＴＭボックスがあります。見た目は銀行のＡＴＭとほとんど同じ。そこにカードを入れて暗証番号を打ち込めば、現金が出てくるわけです。銀行のＡＴＭから自分の預金を下ろすときとやることは全く変わりません。

ＡＴＭまで行かなくても、ＷＥＢで申し込むだけで、クレジットカードに登録してある口座に振り込んでくれるようなサービスもあります。この場合、キャッシング用のＡＴＭではなく、銀行ＡＴＭで自分の銀行口座からお金を引き出すのですから、借金をしているのか預金を引き出しているだけなのか、その区別が余計につかなくなってしまいます。

こうして借りたお金を、翌月しっかり返済します。これで何も問題ありません。

また現金に困ることがあったら、ちょっとだけ借りて、きちんと返す。

「最初の借り入れ」というハードルをいったん越えてしまうと、懐が寂しくなるたびに「ちょっとだから、５０００円だけ」「すぐ返すし、１万円だけ」と、細かな借り入れを繰り返すようになっていきます。

ちょっと足りないから、ちょっと借りるだけ。この「ちょっと」が曲者です。

本来であれば、ちょっと足りないときは、家族や友人など、身近な人に事情を話し、お金を融通してもらうものです。しかし、今は誰もがカードを持つ時代。「そんな面倒なことしなくても、カードでいけるじゃん」となるわけです。

知人からお金を借りようとしたら、当然「どうして?」と事情を聞かれます。それに答えなければいけません。相手が納得のいく理由を用意して、時には少し説教をされて。それが、手持ちのカードを使えば、そんな思いをせずにすむのです。


最近はキャッシュレス化が進み、ただでさえ現金という実感が薄れています。それに加え、借金も数字が動いているだけになっているのです。しかも、ショッピングで支払い実績を積んでいると、知らない間にキャッシング枠はどんどん増えていきます。

お金を見ないで借金ができてしまうというのは、恐ろしいことです。50万円の札束を目の前にしたら「こんなに借りちゃって大丈夫だろうか」という気持ちになるものですが、「キャッシング枠が50万円あります」と言われても、不安になることなどありません。お金に対するリアリティが全く欠如しています。数字だけが飛んでくるわけですから。

お金を借りているという感覚すらなくなり、まるでゲームのスコアが増えたり減ったりしているような、そんな気持ちになっていくのです。

どんどん抵抗感が薄れていく消費者金融

少し前までは、アコムやプロミスといった消費者金融で契約するには、それなりの手間がかかりました。雑居ビルの2～3階に支店が入っていることが多く、入ってみると銀行と同じようなATMが並んでいます。消費者金融ができたばかりの頃は、それこそ銀行の窓口のように担当者と顔を合わせて契約をしていたようですが、その後、アコムの「むじんくん」に代表されるような無人契約機が主流になりました。

申し込みの段階から人に会う必要がなく、ATMの前に身分証明書をかざしてスキャンしたり、画面越しに担当者と話すだけで契約ができてしまうのです。

近年、消費者金融の契約システムはさらに進化しています。スマホアプリの登場です。もはやATMに行く必要さえありません。「支店に出入りしているところを誰かに見られたらどうしよう」。そんな心配は無用で、スマホ1台で契約から借り入れまで簡単にできます。条件次第では即日審査や即日融資も可能で、カード1枚持つ必要がなくなってしまいました。

ここまでくると、まるでお金が出てくる魔法のアプリのような気さえしてきます。もちろん、その実状は、高い金利が発生する借金に他ならないのですが……。

かつては「サラ金」と呼ばれ、厳しい取り立てで恐れられていた消費者金融。取り立ての激しさから自殺する債務者が相次ぎ、「サラ金地獄」という言葉とともに連日ニュースで報道されていました。その後、法律が整備され、厳しい取り立てが一切できなくなり、消費者金融は、イメージアップを余儀なくされます。それに成功した今の消費者金融に、「怖い高利貸し」といった印象は全くありません。

消費者金融からの借り入れと、クレジットカードのキャッシングと、銀行からの融資との区別がついていない人もいるくらいです。実際、信販会社や銀行との提携も相次ぎ、その違いが一層分かりにくくなっています。消費者金融の借り入れ・返済が銀行やコンビニのATMでできるわけですから、傍目にも、消費者金融を利用しているとは分かりません。

こうしたことから、消費者金融を利用する抵抗感は、どんどん薄れているのです。

このように、誰でも気軽にお金を借りることができる時代になりました。キャッシュレス化が進めば、今後ますます借金は便利で簡単になっていくでしょう。そして、借金をしているという実感は、ますます薄れていくことでしょう。

しかし、実感が伴っていなくても、借金は借金です。借りたからには、返済という義務が待っています。

2　主婦の借金

主婦の方の借金が増えています。

夫が生活費をきっちり管理していて、お金を自由に使わせてもらえないという方よりも、夫から家計を任されている方のほうが、実は借金を抱えやすい傾向にあります。やりくりを任されているということに強い責任を感じ、「お金が足りないのは自分のせいだ。自分でなんとかしなければ」と、１人で抱え込んでしまうためです。

先月足りなかったら、今月もやっぱり足りないのが生活費というものです。「どうやって用意しよう」となったとき、つい、目先の手段に逃げてしまいます。日々の買い物をクレジットカードで払ったり、消費者金融からお金を借りたり。

借金を抱える主婦の方は、何も贅沢をしているわけではありません。

普段の生活をギリギリで回していたところに、子どもの部活の合宿代とか制服代とかイレギュラーな出費が重なって、それをきっかけに家計のやりくりがおかしくなっていく。あるいは、毎月毎月コンスタントに赤字が出ている。こうして、とりたてて浪費をしているわけではないのに、借金がどんどん増えていくのです。

赤字家計の要因としては、服飾費の使いすぎというのが割と多く見られます。それでも、何万円もするような服を買っているということはほとんどありません。

ユニクロとかしまむらとか、そういうところで5000〜6000円の買い物をする。1着あたり1980円といった服ばかりなので、本人としては散財している自覚はありません。けれども回数が頻繁で、結局、毎月3万円ほどになっている。

ここで特徴的なのは、自分の物を買うよりも子どもの物を多く買っている点です。自分の物は我慢していても、家族の物や子どもの物ならたくさん買ってしまう。「子どものため」となると、必要経費のような気持ちになるのかもしれません。親からすれば、購入するときの心理的なハードルが下がるのでしょう。

このようにして、一つ一つの単価としてはあまり大きくないもの、贅沢とは呼べないようなものが積み重なり、家計を圧迫していくのです。

夫に内緒で借金する妻たち

夫から「家計はお前に任せた」と一任されると、「お金が足りない」とはなかなか夫に言い出せないようです。

中には、「実はお金が足りないのよ」と相談しても、「いや、お前に任せてんだからなんとかしろよ」とか「やりくりが下手なんじゃないのか」などと言われてしまうことも。せっかく相談したのにこれでは「もう借りるしかない」となってしまいます。

もちろん、夫に相談することすらできず、１人で抱え込んでお金を借りてしまう方がほとんどです。

いずれにせよ、借金で目の前の不足を補ったところで、根本的には何も解決していません。これでは、いつか破綻してしまいます。

夫に秘密で借金をしていると、「今月の返済どうしよう」という不安に加えて、「夫にバレたらどうしよう」と、毎日ビクビクしながら生活することになります。

それで、あるとき夫から「そろそろある程度貯金できてるだろう？　いくらぐらいになってるの？」と聞かれたりする。でも、貯金どころではありません。その場はなんとか言いくるめて誤魔化しても、いよいよもうダメだとなって、私たち専門家のところに相談に来るのです。

夫の減収

借金のきっかけが夫の減収というケースも増えています。転職で年収が下がる。他部署への異動でそれまでもらっていた手当がつかなくなる。事情はさまざまですが、収入が下がったとしても、それまでの生活レベルを落とすのは難しいものです。

自分としては節約しているつもりなのに、実質使っている金額がそれほど変わらない。仕方ないので、その場しのぎにカードで支払う。こんなことを繰り返していくうちに、カードの限度額いっぱい

まで使ってしまう。そんな事態に陥りがちです。

また、妻のほうで夫に遠慮してしまうということも往々にしてあります。

頼りにしていた夫の給料が、なんらかの事情で突発的に下がってしまった。そんなとき、「あなたの給料が下がったんだから節約してほしい」とはなかなか言いにくいようです。妻の出費は切り詰めているのに、夫の金遣いはそのままになっているというケースも多く見られます。

事例　収入が下がってもそれまで通りの夫／吉沢さん（32歳・女性）

ご主人の年収は1000万円を超えていました。しかし、グループ企業へ出向になり、年収は3割ダウン。次第に、夫の服飾費が家計を大きく圧迫するようになっていきます。オーダースーツに身を包み、ワイシャツはクリーニング店でお手入れ、カバンは本革製、靴もピカピカ、というところから急に身なりを落とすということができなかったのです。

最初の段階で「あなたも節約を心掛けてほしい」と一言相談していれば、生活を立て直すことができたはずなのですが、吉沢さんにはそれができませんでした。

それまで自分が家計を全部管理してやりくりしてきたというプライドもあったようです。「お金のことは自分が任されているんだから、私がなんとかしなきゃ」という使命感にかられ、「夫に相談するなんて妻失格だ」と思い込んでしまいます。

当時、吉沢さんはパートで月8万円を稼いでいました。しかし、昔は正社員で月20万円もらっていたことを思い出し、「うまく再就職できれば、あと10万円ぐらい余分に稼げるだろう。そうなったら大丈夫だから」と、夫に内緒でクレジットカードで借り入れをしてしまうのです。

しかし、ブランクのある吉沢さんに、正社員の職は見つかりませんでした。

■司法書士・福田の見解

このように、いらぬ責任感を抱えてしまうパターンが非常に多いです。

家計を管理するというのは、やりくりを全て1人で抱え込むということではありません。

適切に状況を判断し、危機の前に「そろそろ厳しいので、一緒に対策を考えましょう」と呼びかけることも、立派な家計の管理です。

まずは、毎日家計簿をつける習慣を身につけましょう。

家計簿をつけていれば、それを見せながら「うちの家計はこういう状況なので、少し節約してほしい」と伝えることができます。早い段階で家計の立て直しに向けて手を打つことができるようになるのです。

（※事例に出てくる名前は全て仮名で、年齢は当時のものを記載しています）

夫婦間のパワーバランス

家計の問題は、夫婦で腹を割って話すことが大切です。

そうはいっても、夫が協力してくれそうにない場合、なかなか話を切り出すのは難しいものです。

中には、夫が生活費として月何万円かを奥さんに渡し、「これでなんとかしろ。これ以上は出さないぞ。俺の稼いだ金なんだから」というご家庭もあります。夫婦間のパワーバランスがいびつなのです。こうなると、「話したところで怒られるだけ」と、状況を伝えることすらできなくなってしまいます。

夫婦仲がよくないというのは、家計の相談がしにくい大きな要因の一つです。不仲だと、どうしても家庭内のポジション争いの様相を呈してしまい、「相手に自分の弱みを見せたくない」と思うようになります。そんな状況では、借金があるなどとはとても言えません。

ＤＶやモラハラがある場合、事態はさらに深刻です。「お金が足りない」などと言おうものなら、大変なことになってしまいます。

生活費不足を夫に言えないという時点で、そもそも家庭内に問題があると言えるでしょう。本来、夫婦は助け合うものなのですから。

事例「借金が夫にバレたら離婚されてしまいます」／木村さん（42歳・女性）

木村さんには、生活保護を受けている叔母さんがいます。その叔母さんは、精神疾患を患って仕事ができなくなり、生活のために借金を重ねて破産。それ以降、生活保護を受けて暮らしているのだそうです。

そのような状況の親族がいることを知ったご主人は、結婚前、「借金なんてするなよ。もし隠れて借金なんかしていたら離婚だよ」と言ったそうです。

そこまで言うなら家計管理に協力してくれてもよさそうなものですが、ご主人は全くタッチせず、家のことは全て妻に任せきり。

お子さんが成長するにつれ、塾や習い事の月謝が増え、次第に家計が苦しくなっていきました。そんなときは、月謝の現金を用意するために、スーパーでの買い物などを全てクレジットカードで支払います。現金しか使えない激安スーパーではなく、カード決済可能な駅前のスーパーを利用するようになりました。

借金はダメだから、とキャッシングには一切手をつけていなかった木村さん。しかし、カードの支払いが滞るようになり、リボ払いを多用するように。毎月の支払額は少ないものの、全く元金が減りません。どんどん利用残高が積み上がっていき、ついには限度額いっぱいになってしまいました。

もうダメだ。そう思った木村さんは、ふくだ総合法務事務所の無料借金相談に電話をしたのです。

■司法書士・福田の見解

木村さんのように、「バレたら離婚されてしまいます」と言って、ご主人に内緒での債務整理を希望される方がとても多いです。

そのような場合、私たちのほうから「ご主人に話してください」とは言えません。もちろん、100%バレないという保証はできないのですが、ご家族に分からないように、できる限りの配慮をした上で手続きを進めていきます。

ただ、実際ご主人に話したとき、本当に離婚するかどうかというのは分かりません。こちらがご主人とお話しする機会はありませんので。債務者ご本人が「絶対に離婚される」と思っているのが、正しいのか単なる思い込みなのか……。

多額の借金を抱えていると、返済のことばかり考えてしまって、視野狭窄に陥ります。つい悲観的になってしまいがちです。冷静に考え、返済に行き詰まる前に、夫婦で話し合うというのが理想ではありますが、ご夫婦それぞれで事情が違うので、判断の難しいところです。

木村さんの場合は、債務総額と収入のバランスを見て、自己破産という形を取りました。もし、ご主人の協力をいただけるようであれば、任意整理という方法を取ることもできたと思います。ご家族に内緒にするかオープンにするかによって、選択肢の幅も違ってくるのです。

自身の状況を顧み、破産申し立てまでの半年間しっかり家計簿をつけ続けた木村さん。無駄な出費を切り詰め、申し立てをする頃には、家計の赤字はすっかりなくなっていました。破産して免責を受けることで借金が全てなくなり、今では月１万円程度の貯金もできるようになったと言います。

妻に借金をさせないために、夫としてできること

信頼して家計を任せている妻が、自分に内緒で借金を抱えていた。これは、夫としては本当にショッキングなことだと思います。しかし、これまで書いてきたように、奥さんとしては、家のお金を任されていることに強い責任を感じていたり、心配をかけたくなかったり、場合によっては夫を恐れていたり。複雑な気持ちを持っているのです。そこを理解し、夫婦力を合わせていただきたいと思っています。

とはいえ、潤沢なお金があるとは言えない状態での借金返済は、本当に大変です。そうならないように、妻がこそこそ借金を作らないでいいような環境を作りましょう。

最も効果的なのは、先ほども書きましたが、家計簿をつけることです。奥さんに家計を任せているなら、家計簿もつけてもらいましょう。それを夫婦で共有すること、それが家計改善への第一歩です。

最初から1円単位の家計簿をつけようとすると大変です。慣れないうちは、多少大雑把な家計簿でも構わないので、リアルタイムに家計の状況を把握するよう心掛けましょう。

妻が多重債務を抱えていても、夫は家計が苦しいということ自体を把握していないケー

スが大半です。また、夫は家計管理を甘く見がち。家計を管理するということがいかに大変かを理解していません。家族の家計というのは、一人暮らしのやりくりとは全く別物です。

家賃や住宅ローンの額ぐらいは把握しているかもしれませんが、食費や日用品費については気にしたことがないという方がほとんどだと思います。自分の稼いだお金が何にいくら使われているのか、だいたいのところを把握しておきましょう。大抵の場合、夫が想像しているより、はるかに家計は厳しい状況にあるものです。

月に1回ぐらい、給与明細を渡すタイミングにでも夫婦の時間を作り、話し合ってみてください。「今月もお疲れ様」とねぎらいながら、「今月どうだった？　お金的には問題ないの？」と声をかけるだけでも違います。そうすると、何かあったとき「実は」と切り出しやすいものです。

皆さん、自分の仕事で手いっぱいになっているようです。そうなると、奥さんに丸投げしている家計は、もう見たくないというか、気にする余裕もないのかもしれません。「やばいんじゃないかな」と薄々思っていたとしても見たくない。ただでさえ仕事で疲れているんだし、「こっちから言わなくてもいいか」「何かあったら言ってくるでしょ」と、つい逃げてしまいます。

気持ちは非常によく分かりますが、これでは、気づいたときには手遅れになっていたということになりかねません。妻がお金の心配を正直に伝えられないのは、夫にも責任があるということを自覚しましょう。とにかく、普段からきちんと気にしてあげることです。定期的に「お金の件、大丈夫？」「足りなかったりしない？」と話を聞く機会を持つように心がけてください。

事例 知らぬ間に妻が100万円もの債務を抱えていた／安藤さん（38歳・男性）

7年間乗り続けた愛車の調子が悪く、ディーラーに行った安藤さん。見積もりを出してもらったら、なかなかの金額。

「そろそろ車検ですし、このタイミングで買い換えを検討されてはいかがでしょうか？」

自動車ローンの支払いも終わっているし、そろそろ次を買ってもいいだろう。そう思った安藤さんは、300万円の新車の購入を決めました。

帰宅後、新車を買うことを報告すると、突然、奥さんが不機嫌になったと言います。

というのも、安藤さんが知らなかっただけで家計は毎月3万円ほどの赤字となっており、とても毎月5万円のマイカーローンを支払えるような状態ではなかったのです。

そのことを初めて知った安藤さんは、預金通帳とクレジットカードの利用明細をチェック。貯金が全くない上に、借金が100万円を超えていることを知って驚きます。

そして、借金軽減のための方法をインターネットで調べ、法律家による債務整理という方法があることを知ります。こうして、ふくだ総合法務事務所の無料借金相談に電話をかけたのです。

■司法書士・福田より

安藤さんのように、「妻が何も言ってこないということは問題のない証拠」と安心しきっている男性は多いのではないでしょうか。

安藤さんの場合、残債は多かったものの、実状を知ることで夫婦協力する態勢が整い、自己破産ではなく任意整理という形での解決が可能になりました。

「家のことに無関心で……」と反省されていましたが、このような対応ができる安藤さんのようなご主人は、決して多くないと思います。

また、実状を全て伝えた奥さんも立派です。ここで借金があることを切り出せずにいたら、マイカーローンの支払いまで背負い込み、破産以外の選択肢がなくなってしまうところでした。

実は、家計の状況を把握していない夫が、妻への相談なしに大きな買い物をしてしまい、一気に借金が膨れ上がってしまうというのは、よく見受けられることなのです。

家計の悩みは、妻が1人で抱え込むべき問題ではありません。やりくりを任せるのは構いませんが、丸投げになってしまわないよう、定期的に話す機会を設けましょう。

3 住宅ローンが家計を圧迫

住宅ローンが家計を大きく圧迫してはいませんか？

マイホームを購入する際、「欲しい」という気持ちが先走り、後先考えずに住宅ローンを組んでしまう方が少なからずいらっしゃいます。住宅ローンとは、何十年という長い付き合いになるものです。先々のことを考え、しっかり検討しなければ、せっかく手に入れたマイホームを手放すことにもなりかねません。

住宅ローンは家賃ではない

「家賃と同じ負担でマイホームが手に入る」という謳い文句がよくありますが、これを信じてしまうと大変です。

たとえば、住宅ローンが月10万円という試算になって、それまで住んでいたアパートの家賃も月10万円だったとします。

「やった！　家賃と同じ額で家が持てる」。

そう思って家を買っても、実際には固定資産税はかかるし、マンションであれば修繕積立金もかかります。

また、家賃は築年数が長くなると相場

が下がりますが、住宅ローンは下がりません。新築であっても築20年であっても、同じ金額を返済し続けなければならないのです。建物の価値は年々下がっていくもの。10年で半減。20年もすればほとんど価値がなくなってしまいます。

「家賃と同じ金額で買えるなら、家が手に入ったほうがお得だ」と安易に考えるのは危険です。

その家にずっと住み続けるのか

たまにあるのは、家を買った直後に転勤になってしまうケースです。不動産というのは、慌てて売ろうと思ったところで、なかなか買い手がつかないもの。結局大幅な値下げをして売却することにもなりかねません。売れるまでの間は、住宅ローンと転居先の家賃を同時に支払う必要があり、大きく家計を圧迫します。

事例　家計の赤字に気づいていなかった／大野さん（33歳・男性）

妻の妊娠を機に、マイホームを購入。東京郊外にある３ＬＤＫの建売住宅。毎月の支払いは家賃程度に抑え、ボーナス時の割増特約をつけて住宅ローンを組みました。

しかし、購入段階では気づいていなかったのですが、実は毎月の家計が赤字で、ボーナスを使って補填している状態でした。銀行口座には常にある程度の残高（ボーナスの残り）があったため、まさか毎月赤字が出ていたとは思いもよらなかったそうです。

そのボーナスの大半を住宅ローンに持っていかれたのですから大変です。月々の家計の補填ができなくなり、そのままどんどん赤字が積み重なっていきました。銀行の残高はあっという間に底を突き、クレジットカード払いやキャッシングなどで日々の支払いをしのいでいきます。

そこに追い打ちをかけたのが、忘れた頃に請求が来る固定資産税でした。借入額がどんどん増えていき、クレジットカードも限度額いっぱい。２枚、３枚と増やしていきましたが、４枚目を作ろうとしたとき、カード会社の審査に通らなくなってしまいます。

いよいよ返済に困った大野さんは、ご夫婦で相談にいらっしゃいました。

■司法書士・福田より

住宅ローンで行き詰まる方は、最初の数年で破綻してしまうケースが多く見られます。というのも、そもそも無理のあるローンを組んでしまっているからです。

数十年もの長い間、毎月払い続けるのが住宅ローンです。家計をしっかり把握し、多少のトラブルがあってもなんとかなるくらいの余裕を持ってローンを組んでおくことが重要です。

大野さんの場合、住宅ローンを維持すること自体が難しかったため、ご自宅は諦めていただき、自己破産という方法を取りました。もし、住宅ローンの支払いに問題がないのであれば、個人再生と言って、住宅を維持したまま住宅ローン以外の借金のみを減額、分割弁済していく方法も使えます（詳細は第3章をご参照ください）。

ふくだ総合法務事務所では不動産会社を所有しているため、債務整理から不動産の売却までワンストップで扱うことが可能です。大野さんの物件もスムーズに売却することができました。

奥さんには、破産申し立てのための書類準備や家計簿作成をお願いしました。

家計をしっかりと見直し、破産によって借金をゼロへ。すっきりした気持ちで新たなスタートを切っていただきました。

住宅ローンを組む際の注意点

▼無理はしない

住宅ローンを組む際に、絶対に無理は禁物です。「今の状態で支払えるから」とギリギリのローンを組んでしまうと、怪我や病気といった不測の事態が起こったとき、支払いが滞ってしまいます。多少何かがあったとしても充分支払っていけるだけの余裕を持ってローンを組むことが重要です。

中には、将来がよくなる前提で住宅ローンを組んでしまう人もいます。昇給を見越して、とか、妻が働きに出るから、とか。これは非常に危険です。今の時代、昇給はおろか、同じ収入が続くかどうかさえ分かりません。また、子どもが生まれれば、教育費だなんだと年々出費がかさんでいきます。

このままの収入が維持できるという保証はどこにもありません。とにかく、無理はしないことです。

モデルルームなどを見て回ると、夢が膨らんで、あれもこれもとオプションをつけたくなってしまう気持ちは分かります。誰だっていい家に住みたいものです。なのでつい、欲しい物件に自分を合わせてしまいます。

しかし、本来は逆なのです。自分が買える物件を選ばなければいけません。欲しい物件を買うために無理をするというのでは、本末転倒です。

▼30年先を見据える

住宅ローンを組んだあと30年の間には、お子さんがいれば進学時にまとまったお金が必要になるし、30歳を超えてから住宅を買った場合には、途中で定年になったりリストラに遭ったりということも考えられます。

30年の間には、いろいろなマイナスのイベントが起こるものです。マイナスのイベントも織り込んだ上で30年の人生設計図を作り、余裕を持ってローンを組まなければいけません。

それをやらずに、「住宅ローンの毎月の支払いとこれまでの家賃が同じなら大丈夫だろう」と安易な気持ちで買ってはいけません。住宅販売会社の人は「金利が安い今こそ買い時ですよ」などと言ってくるでしょう。そんな口車に乗せられ、後先考えずに買ってしまうと、割と早い段階で行き詰まってしまいます。

30年ローンを組むのであれば、人生シミュレーションは不可欠です。どの時期にどういうライフイベントがあって、そこでいくらかかるのか、そのお金はどうするのか。万が一、事故に遭ったり病気になってしまったら、どのようにするのか。しっかり考えておきましょう。「それでも大丈夫だ。多少何かが起こってもやっていける」となった場合に、初めて長期のローンを組むことができるのです。30年の予定が見えない場合には、住宅ローンを組むことはお勧めできません。

住宅ローンの返済に困ったら

不測の事態によって、収入がガクッと下がってしまうことがあります。それまで営業手当がたくさんついていたのに、別の部署に異動になって手取りが減る。技術を持っていて職能給を多くもらっていた人が、工場で怪我をして同じ仕事ができなくなって事務方にまわる。それまでもらっていた手当や残業代がつかなくなる。さまざまな事情で、収入が一気にダウンしてしまった場合、すぐに住宅ローンが払えなくなってしまいます。

安定した職場で定年まで勤められるというのは、今の時代なかなか難しいことです。住宅ローンの返済に困ったら、どうしたらよいのでしょう。

▼さっさと住宅を諦めましょう

住宅ローンの返済に困ったら、とにかく住宅を手放すことです。

しかし、なかなかこれが難しいのか、なぜか皆さん、住宅にしがみついてしまいます。「何がなんでも住宅ローンだけは絶対に払う」と意固地になり、住宅ローンを払うために借金を始めてしまうのです。

そうではなく、住宅ローンが厳しくなった時点で、その住宅は諦めましょう。手放しましょう。賃貸住宅でいいじゃないですか。さっさと売って、無理のない物件に住み替えてください。

売るのは、借金がかさむ前です。住宅ローンに困って他から補填していたのでは、2年もしないうちに多重債務に陥ります。

住宅ローンの支払いに困ったら、他から借りる前に売却しましょう。そうすれば、借金が残るというリスクはかなり回避できます。

もちろん、時には物件がオーバーローン（※）になっていることもあります。それでも、他に借金を作るよりはましです。

（※オーバーローン：借入残高が物件の価値を上回っている状態のこと。物件を売却しても、借金が残ってしまう）

▼オーバーローンになっていたら

オーバーローンになるかどうかは、返済期間にもよってきます。30年のローンを組んで20年頑張って支払い続けてきたとなれば、債務残高はかなり減っているため、オーバーローンの可能性は低くなります。

大変なのは、バブル期に買ってしまった場合です。あの時代に買った人は、バブル崩壊後、確実にオーバーローンになっていました。バブル崩壊から30年近く経っているので、もう返済が終わっているかすでに売却してしまっている方がほとんどでしょうが、高いときに買った場合は、当然オーバーローンになっている確率が高くなってしまいます。

また、頭金を用意しないフルローンでの住宅購入も、オーバーローンになりやすいので注意が必要です。

住宅ローンの支払いが無理だと思ったら、すぐに物件を諦めましょう。不動産業者で売却額を試算してもらった際、オーバーローンになっていなければ、すぐに売ってしまうのが賢明です。もし、オーバーローンになりそうであれば、司法書士か弁護士のところに相談に行くことをお勧めします。不動産業者は住宅売買についてはプロですが、借金のことに関しては手を打つことができませんから。

ペアローンについて

夫婦や親子でペアローンを組むことがあります。ペアローンの場合、２人で債務を負うわけですから、当然その分、支払い不能に陥る危険も増加します。

前項で、住宅ローンを組むときに今の収入がずっと続く前提で組むのは危険だということを書きました。収入が減ってしまうリスクがあるからです。ペアローンにすると、そのリスクが単純に2倍になるということです。

たとえば親子でペアローンを組んだ場合、二世帯住宅で月16万円の住宅ローンを、子どもも夫婦8万円、親夫婦8万円で分担していたとします。子ども夫婦がうまくやっていたとしても、リストラに遭うなどして親夫婦がローンを払えなくなったら、共倒れになってしまいます。

夫婦でペアローンを組んでいた場合には、子どもが産まれるなどして、奥さんが仕事をセーブせざるを得なくなることも考えられます。そうなれば、当然収入は落ちるでしょう。また、病気のリスクも夫婦2人分です。

そもそも、ペアローンを組むということは、「片方だけでは審査に通りません」と金融機関から判断されたということです。

ペアローンを組まないと買えない物件は、そもそも身の丈ではありません。でも、買いたくて仕方がないので、物件に自分を無理矢理合わせてしまうわけです。

1人では買えないものを2人で無理矢理買おうというのは、大変危険です。

夫婦の場合、離婚という問題も考慮しなければなりません。

夫婦でペアローンを組む場合というのは、いつまでも夫婦仲よくいられることを前提としています。しかし、3組に1組が離婚している今、なかなかそうも言っていられません。

いざ離婚となれば、もちろんどちらかが家を出ます。そうなると、家を出たほうは、自分が住んでいない家のローンなど払う気になれません。こうして片方が滞納すると、2人分の支払いが家に残ったほうに請求されることになるのです。

事例　ペアローン支払い中に、妻が家を出ていった／飯田さん（37歳・男性）

結婚し、「家賃払うのって、なんかもったいないよね」ということで、都内のマンションをペアローンで購入。持ち分は奥さんと半分ずつにして、お互いに連帯保証を組んでいました。

その後、仕事に限界を感じた奥さんは心身に不調をきたして退職。飯田さんが実質2人分のローンを負担することになってしまいます。返済に困った飯田さんは、カードローンや消費者金融を利用しながら、どうにか返済を続けます。

しかし、2年も経たないうちに夫婦仲は微妙に……。結局、家庭内別居の状態となり、夫婦仲は冷え込んでしまいました。しかも奥さんはマンションの売却になかなか協力してくれません。

マンションは2人で半分ずつ権利を持っているため、奥さんの協力がなければ売るに売れず、途方に暮れてしまいました。

■司法書士・福田より

新婚のうちにペアローンを組むというのは、考えものです。これまで書いてきたように、ペアローン自体に大きな不安要素がある上に、まだ夫婦関係の安定していない時期に組むというのは、到底お勧めできません。

飯田さんの場合、奥さんがマンションの売却に協力してくれないため、最終的には破産という選択にならざるを得ませんでした。

ペアローンで行き詰まって司法書士や弁護士に依頼する場合、基本的に夫婦2人で同じ事務所に頼む必要があります。夫はA事務所、妻はB事務所となると、煩雑になってしまうため、別々に相談に行ったとしても、結局はどちらかの事務所に任せることがほとんどです。

なので、せめて2人で相談に行けるくらいの夫婦仲のうちに、手を打っておきたいところです。

▼ペアローンの返済に困ったら

返済に困ったら、ペアローンのときも一般の住宅ローンと取るべき行動は一緒です。さっさと物件を手放しましょう。

一緒に不動産屋に行って書類を書くことができるくらいの夫婦仲のうちに、売却することです。どちらかが出て行ってしまうと、相手の居場所を探すところから始めなければなりません。無事に見つけたとしても、一緒に不動産屋へ行くことを拒否されてしまうかもしれません。出て行った側としては、もうすでに終わったことにしたいのですから。「今さらイヤだよ」となってしまいかねないのです。

そうなる前に、さっさと売ることです。

4　稼ごうとして、逆に借金を作ってしまう

「自分で稼ぎたい」「仕事をしたい」と思っていても、手に職がない。そんなとき、「これで稼げますよ」という怪しげな情報に流されてしまう人がいます。

その代表格がＦＸやネットワークビジネスです。

稼ぐつもりで始めたのに、結局、借金を抱える羽目に陥ってしまう。なぜ、そんなことになってしまうのでしょうか。

ＦＸにハマっている状態は、ほぼギャンブル依存

ＦＸは、ギャンブル依存と構造がほぼ同じです。最初は投資事業を始めるつもりで取引していたはずなのに、一度いい思いをしてしまうと、また次の波が来るのではないかと思い、やめられなくなってしまいます。

ギャンブルや投機的なものというのは、なぜか最初の頃、1回爆勝ちすることがあるのです。いわゆる「ビギナーズラック」と呼ばれるもの。たった1週間で1カ月分の給料分稼いでしまうとか。そんな経験をすると「また来るんじゃないか」と思い、続けてしまう。損失が出ても、「せめてプラマイゼロじゃないと引くに引けない」と意地になり、どんどん損を重ねていきます。そして、最終的には強制ロスカット（強制決済）で退場させられてしまうのです。

そうなったら、もう手遅れ。FX会社への多額の支払いに追われることになります。

FXというのは上がるか下がるかの二つに一つですから、運よくプラスマイナスゼロに戻ることもあるでしょう。「損失を取り戻せた。やれやれ」とそこで手を引くことができればよいのですが、「戻ったんだから、またこの流れでいけるだろう」と、再びのめり込んでいく人が大半です。

基本的に、FXをやる人は、ギャンブラーっぽいところがあります。コツコツ投資をするという発想ではなく、ドカンと一発当てたい。

中には、情報商材などで「こうすれば儲かる」と派手に煽っている教材を数十万円で買ってしまったという人もいます。

その教材通りにバーチャル取引や為替シミュレーターなどで練習して、「儲かるじゃん」と。シミュレーターで何年も取引の練習をする人はいません。せいぜい1カ月くらい練習したところで、実際の取引に手を出してみるわけです。

ビギナーズラックで多少儲かるかもしれませんが、レバレッジのかけ方次第では、少し大きめの為替変動で即アウトです。

FXというのは、勉強すれば勝てるというものではないと思います。よく言われることではありますが、勉強すればできるのであれば、情報商材でノウハウを公開するわけがないのです。

FXで今うまくいっているように見える人も、長期的に成功するとは限りません。そのうちコケるかもしれない。コケる直前の一瞬を切り取って見ているだけかもしれない。「FXで儲かっています」と謳っている人の中には、トレードではなく情報商材を売って儲けている人もいます。そういう人のカモになって講座や情報商材にお金を使い、さらにはFXで失敗するというダブルパンチ。笑い事のように聞こえるかもしれませんが、FXに限らず、投資が原因で多重債務に陥る人は、このパターンが案外多いのです。

事例　一発逆転を狙ったFXで大きな損失／山崎さん（31歳・男性）

ちょっとしたトラブルが元で会社を辞めたのが29歳のとき。もともと独立心の強かった山崎さんは「これはちょうどいい機会だ」と前向きに捉え、自分で何か事業を始めようと考えます。

しかし、前々から独立の準備をしていたわけではなく、貯金がありません。カードローンで生活費を賄い、クレジットカード払いで情報商材を買いあさりました。

インターネットを使って仕事をしたいと考えた山崎さんは、当時「ネオヒルズ族」と呼ばれていた若手実業家に近づき、仲間に入れてもらおうとします。しかし、先んじて成功している彼らに会うとき、あまり恥ずかしい格好はできないからと、スーツを仕立てたり靴を買ったり。また、会食をすれば「ここは私が出します」とご馳走したり。

借金はあっという間に膨れ上がっていきました。

WEBサイトを立ち上げ、インターネット広告を打ったりしたものの、思うようには売り上げが伸びません。そんなとき、最後の勝負に出たのがFXでした。

借金を抱えているという焦りから大きなレバレッジをかけてしまった山崎さん。結局、F

Xでさらに借金を膨らませてしまい、ふくだ総合法務事務所にいらっしゃいました。

■司法書士・福田より

独立心の強い方というのは、よくも悪くも勝負師です。思い切った事業判断を下せるという利点もありますが、少ない種銭で大きく稼ごうとして失敗してしまうことも。

そもそもFXが事業と呼べるかどうか、はなはだ疑問ではありますが、こうした投機的な事業にも手を出してしまいやすい傾向にあります。

独立するのであれば、思いつきではなく、事前にしっかり準備し、事業計画を立ててから臨むべきでしょう。山崎さんの場合、独立当初から借金を始め、すぐに返済のために新たな借り入れをするような状況に陥っていました。

売り上げにも非常に波があり、分割弁済は難しいと判断。自己破産という選択になりました。

その後は、親戚の方の会社を手伝いながら、インターネット事業も続けているそうです。

ネットワークビジネス

稼ぐつもりで逆に借金を抱えてしまうケースとしては、ネットワークビジネスで失敗するというパターンも少なからず見受けられます。

ネットワークビジネスの場合、自分からのめり込むのではなく、知人から勧誘を受け、話を聞いているうちにソノ気になったという人がほとんど。夢を見てしまうようです。

よくあるパターンが、卒業後10年以上も連絡してこなかったような同級生から急に電話がかかってくるというもの。「会わない？」と言われ、喫茶店で話をしているうちに「実はこういうのがあって」と勧誘を受けるわけです。

断りきれずに……。という人もいますが、そういう場合はある程度のところで手を引くことが多く、大きな借金を抱えるところまではなかなかいきません。

多重債務に陥ってしまうのは、副業で給料の何倍とか、年収1000万円とか、そういう夢を見てしまった場合です。

「ちょっとあなただけに特別に言うんだけど」

「まだみんな知らない情報です」

「先行者利益が……」

「この商材は特に優れていて……」

このような言葉で熱く語られているうちに、「こういう世界ってあるんだ」と思ってしまう。

それで、スターターセットのような商材を購入するわけです。最近では、商品在庫を抱えるようなビジネスは少なく、情報商材などが流行っているようです。ＤＶＤだったりオンラインセミナーだったりと、さまざまな形式がありますが、これらは全て情報料です。「○○で設ける方法」や、それこそ「ＦＸ必勝法」など。ＤＶＤがセットで50万円、動画をオンラインで見るための会員費が半年で30万円といったように、とにかく高額なのが特徴です。

この初期投資を回収するため、商材を購入した人は会員集めに奔走します。

しかし、ネットワークビジネスというのは、成功者よりも踏み台にされている人のほうが圧倒的に多い業界です。そもそも、上位の人しか儲からないシステムになっています。

簡単に儲かるだなんて美味しい話はありません。もし、そういう話が来たら、お金を出す前に、家族や友人といった信頼できる人に相談してください。「こういう話があるんだけど、どう思う?」と。

自分では「絶対行ける」と思っていても、周囲の人は冷静に判断してくれます。のめり込むタイプの人は「お前には理解できない」などと言って、他人のアドバイスを押しのけてハマってしまうこともありますが……。美味しい話が来たら、とにかく、一度落ち着いて考えてみてください。

5 子育てで増える借金

子育てをきっかけに借金をしてしまうことがあります。

昔と違い、親と離れて暮らしている方が多く、子育てについて分からないことや困っていることがあっても、気軽に親を頼ることができません。実家から離れていると、地元の先輩や先に子育てしている友達に聞くこともできません。

ベビー用品を買うときも失敗ばかり。インターネットのクチコミで高評価のついているベビーベッドを買ったのに、我が子は添い寝じゃないと寝てくれなかったり。抱っこ紐一つにも相性があるようで、あれこれ買ってみて、素直に抱っこさせてくれるものに出合うまで、3回も買い直すことになったり。

また、親戚付き合いも希薄なため、親戚の子のお古が回ってくるということも減っているようです。

主婦で多重債務に苦しむ方は、子育てがきっかけになっているというケースが非常に多く見受けられます。

子どもの物を買うときには、心理的なハードルが下がりやすいのでしょう。自分の物を買うのは我慢しても、子どものためなら「買ってあげたい」と思ってしまうようです。皆さん「子どもの物だからいいだろうと、つい買いすぎてしまいました」と言うのです。

事例 贅沢をしているわけではないのに、なぜか増えていく借金／田代さん(26歳・女性)

出産をきっかけに、家計が毎月赤字になっていった田代さん。

買い物はクレジットカードですませ、支払いに困ると、「あとからリボ」を利用したり、キャッシングで埋め合わせをしたり。

特に贅沢をしているわけではないのに、借金はかさむ一方。カードショッピングの支払いのためにキャッシングをし、キャッシングの返済のために別のカードでキャッシングをする。お子さんが1歳になる頃には、完全に返済が自転車操業になっていました。

そしてついに、全てのカードの利用枠がいっぱいに。もうこれ以上支払いはできない。そう思った田代さんは、ふくだ総合法務事務所の無料借金相談に電話をかけました。

司法書士・福田より

ご相談にいらしたとき、田代さんの債務総額は200万円を超えていました。

クレジットカードのショッピング明細を調べてみると、すごい頻度で子ども服を買っています。１回の買い物は３０００～５０００円程度なのですが、週に２回は買っているのです。

事情を聞いてみると、

「ママ友と一緒に子どもを公園で遊ばせるときに、自分の子だけみっともない服装はさせたくない」

「他の子が新しい服やブランドの服を着ていると、自分の子に古い服を着させたくないと思う」

「高いものではないから手軽に買っていた」

とのこと。

余計なお世話とは思いながらも、「こんなに買っていたら、クローゼットがいっぱいになりませんか？」と聞いてみたところ、「子どもに１～２回着せると、それをフリーマーケットとかメルカリで売るんです」と。ちょっとだけ着せては売るということを繰り返していたため、服の手持ちが増えておらず、たくさん買っているという自覚がなかったようです。

その他の出費は、必要な生活費を除けば、たまにママ友とお茶やランチをするくらい。これはたまの息抜き程度で、問題になるほどではありません。ほとんどの債務が子ども服でした。

田代さんのようなケース、実は結構見られます。「子どものため」と思うと、つい財布の紐がゆるくなってしまうお母さんが多いのかもしれません。

田代さんは現在仕事をしておらず、自身の収入がないため、自己破産をしました。破産準備の際に家計簿をつける習慣を身につけ、「もう自覚のない買い物はしないようにします」とおっしゃっています。

ママ友や周囲のお子さんと、服装や持ち物を比べたり、競ったりするのはやめましょう。見栄を張るのは、破綻への定番ルートです。

6 リボ払いとドンブリ勘定

「知らない間に借金が膨れ上がっていました」

そのように言う方が、意外と多くいらっしゃいます。

借りなければ借金は増えないのに、どういうことだろう？　自覚がなさすぎでは？　と思っていたのですが、利用明細を調べてみると、その原因が判明しました。リボ払いです。

リボ払いは、使い方によって、債務の増え方がかなり激しくなります。カード払いであれこれ物を買っても、毎月の支払いは3000円とか5000円で一定です。支払いが一定なので、買ったからといって生活がすぐに苦しくなるということはありません。

贅沢をしているということはあまりなく、小さな買い物を積み重ねているため、お金をたくさん使っているという自覚がほとんどありません。

これまで全て現金で支払っていた人がクレジットカードを使うようになると、財布にお金が残るようになります。そのお金、決して余裕があるから残ったわけではありません。カード決済した分の支払いというのは、必ず請求されるのですから。

しかし、手元に現金があると、ついつい外食などに使ってしまう。こうしていつの間にか、お金を余計に使うようになっていくのです。

今月、ちょっとカードの支払い厳しいかも……。そうなったときに便利なのが「あとからリボ」です。こうして、それまで「手数料がもったいない」と一括払いだけを利用していた人が、リボ払いを使うようになります。リボ払いだと、利用額にかかわらず毎月の支払い額は一定なので、自分が今月いくら使ったのか、ますます把握できなくなります。

こうして、気づいたら多額の債務を抱えているのです。リボ払いの債務がある程度の金額になると、それまで月3000円だった支払いが、5000円、1万円と、残債に応じて引き上げられていきます。それでも使い続けていると、今度はカードの利用枠がいっぱいになり、そのカードが使えなくなる。でも手元にお金がない。どうしよう。新しくもう1枚カードを作ろう……。と、どんどんカードと債務が増えていくのです。

元本がほとんど減らないリボ払い

クレジットカードのショッピング枠は、最初は30～50万円くらいが一般的です。この枠いっぱいに使ったとすると、毎月3000円程度のリボ払いでは、ほとんど元金を返すことができません。

ショッピングリボの手数料率は、だいたい14～15％。10万円を借りて月3000円のリボ払いにすると、その後全くリボ払いを使わなかったとしても、完済までに3年半もかかります。毎月の支払いのほとんどが、利息の返済に充てられてしまうのです。

そのあたりを、皆さんほとんど理解せずに、「便利だから」と使っているようです。たとえば、年利15％、月１万円のキャッシングリボで子どもの学費50万円を借りたとします。その後全くキャッシングを利用しなくても、全て返済し終わるには、６年半の年月がかかります。追加借り入れをしたら、またすぐ元本が元に戻ってしまいます。

ある依頼者の取引履歴を見ると、残元本がずっと49万６０００円、49万５０００円と、50万円のあたりをウロウロし続けていました。たまにちょっと使って、また49万９０００円に戻ったりしながら。それがあるとき急に、残債額が変わっています。なぜか突然、99万円とかになっているのです。理由を尋ねると、ずっと返済を続けてきたので信用がついて借入枠が増えたときに、「また借りてしまいました」と。

「返済を続けているから、借金が減っていると思っていたんですが……」

そう思ってしまう気持ちは分かります。しかし、リボ払いの最低返済額は、完済までに３～６年かかるように設定されているものです。それを知らずに、「毎月の支払いが少ないほうが楽だから」と返済額を最低額にしておくと、払っているのは利息ばかりで、返済しても返済してもほとんど元金が減らないという状態になってしまいます。

あなたのカード、知らずにリボになっていませんか？

また、カードを作るとき、最初からリボ払いを設定されていることもあるので注意が必要です。「リボ払いにしない」にチェックを入れなければ自動的にリボ払いになってしまうという設定の契約書にサインした場合、自覚なくリボ払いを利用している可能性もあります。また、リボ払いにするとボーナスポイントが付与されることが多いため、よく分からないうちにお得感に惹かれてリボ払い設定にしていたということも考えられます。

カードにリボ払いの設定がされている場合、会計のレジで何も確認されないままリボ払いになってしまいます。

自覚のないリボ払いは本当に危険です。自分は一括払いで支払っているつもりでいるのに、知らない間に債務が増えていきます。債務がどんどん積み重なって限度額に達し、カードが使えなくなったとき、初めて気づくのです。自覚のないまま、50万円、１００万円の債務を抱えているということに。

そうならないためにも、自分のクレジットカードの情報をしっかり把握しておきましょう。

カードの利用明細を毎月必ずチェックする

カードの利用明細には、その支払いが一括払いなのか、分割払いなのか、リボ払いなのか、必ず明記されています。また、支払い後の残債も書かれています。

数字がたくさん書かれているため、「面倒くさい」とその月の支払い額しか見ない人がいますが、これでは自分の債務を把握することができません。

毎月の支払い額が3万円で「これなら大丈夫だ」と安心していても、債務総額が100万円を超えていることだってあるのです。自分の債務状況をリアルタイムで把握しておかなければ、思いがけないちょっとした出費があったとき、たちまち支払いに困ってしまいます。

毎月のカード明細を見て、今現在、総債務がいくらあるのかを必ずチェックしましょう。

特に、リボ払いを利用している方は、毎月の支払い額が同じなので、明細を確認しない傾向にあります。これが、**知らない間に債務が膨れ上がる**大きな要因となっているのです。

第2章

債務整理のウソ・ホント

1 「自己破産すると人生おしまい」って、ホント？

ウソです。

自己破産に関する誤解はいまだ根強いようです。「自己破産なんてしたら、人生おしまいだ」。そのように思っている人がいらっしゃるかもしれません。

しかし、自己破産は、大きな債務に苦しんでいる方が人生を再スタートさせるための救済制度。破産したからといって、その後の生活に大きな支障が出るようなことはありません。

たしかに、破産後5～7年は、クレジットカードを持つことができませんし、キャッシングなども受けられません。しかし、自己破産による不都合というのはこのくらいのものです。

借金を全てゼロにできるというメリットのほうが、はるかに大きいと言えるでしょう。

破産したら、親兄弟や親戚のところに取り立てに来るんでしょう？

そんなことはありません。

自己破産する際、自分で手続きをすることも可能ではありますが、多くの場合は司法書士や弁護士といった専門家に依頼すると思います。その際、「○○さんの件について依頼を受けました」という通知を債権者（お金を貸している側）に通知します。

この通知を受け取って以降は、取り立てをしてはいけないルールになっているため、司法書士や弁護士に依頼すると、数日で取り立てが止まります。

これまで、督促や取り立てに怯えていた身としては、依頼しただけで取り立てが止まるなんて、信じられないことかもしれません。「自分に取り立てが来なかったら、きっと身内から取り立てるに違いない」。そのような思いから、こういった誤解が生じてしまったのでしょう。

安心してください。ご本人はもちろん、親族の方に取り立てが行くということはありません（保証人になっている場合を除きます）。

破産したら、会社をクビになるんでしょう？

これも間違いです。

自己破産を理由に社員を解雇することはできません。

そもそも、会社に破産したことがバレること自体が、ほとんどありません（会社からお金を借りている場合は別です）。

破産の手続きが始まってから借金がゼロになる免責決定が下りるまでの間、弁護士・公認会計士・司法書士・宅地建物取引士・生命保険募集員・警備員など、一定の仕事には就くことができなくなります。

なので、保険の仕事やガードマンをされている方が破産を決めた場合、申立前に仕事を変えることがあります（仕事を続けたければ、個人再生など他の救済措置を選択することも可能です）。

それを、周囲の人が「破産したからクビになったんだ」と勘違いしたのかもしれません。

戸籍や住民票に破産したことが記載されるんでしょう?

自己破産をすると、官報に氏名と住所が記載されますが、基本的には、戸籍や住民票に記載されることはありません。

官報というのは、国が発行している新聞のようなものです。法改正の公示、破産や相続などに関する裁判内容が掲載されています。官報は行政機関の休日以外は毎日発行されているものですが、読んだことがあるという人はほとんどいないでしょう。官報に掲載されたところで、周囲にバレる心配はほとんどありません。

給料が差し押さえられてしまうんでしょう?

破産すると、今後の給料を差し押さえられてしまうのではないかと不安になっている方もいるようです。

結論から言いますと、給料が差し押さえられることはありません。

裁判所に破産を申し立て、破産手続開始が決定されると、債権者は差し押さえをすることができなくなります。

また、免責決定後は借金がゼロになりますから、給料を差し押さえられる心配はありません。

破産申し立ての段階ですでに給料が差し押さえられている場合については、破産手続開始決定後に必要な手続きを取ることで、差し押さえの執行手続き（差し押さえ）が中止されます。

執行手続きが中止されてから免責確定までに差し押さえられた給料については、勤務先の会社によって保管され、免責確定後に受け取ることができます。

なお、管財扱いとなった場合は、破産手続開始の段階で差し押さえが効力を失います。

（※管財については124ページをご参照ください）

家財道具などを持っていかれるんでしょう？

自己破産をすると、保有財産が清算されてしまいます。

とはいえ、清算の対象となる財産は、時価で20万円以上の価値があるものだけです。不動産や自動車、解約返戻《へんれい》金が合計20万円以上の保険などがこれに該当します。

また、自動車を持っていても、ローンが終わっており、かつ、初年度登録から5〜10年経った国産自動車の場合は、そのまま持ち続けることができる場合もあります。

「財産を清算される」と聞くと驚いてしまうかもしれませんが、そもそも時価20万円以上の財産を持つ個人の破産者はあまり多くいません。

買ったときの値段ではなく、今売ったらいくらになるかという時価で計算しますので、普段使いの家財道具や家電に関しては、まず心配ありません。

選挙権がなくなるんでしょう?

自己破産をしても、選挙権や被選挙権といった公民権を失うことはありませんので、安心してください。

海外旅行に行けなくなるんでしょう？

破産手続開始から免責決定が出るまでの間、裁判所の許可なく居住地を離れることはできません。これは、破産者に聞きたいことがあったときに、連絡が取れなくなると困るからです。

1泊以上の旅行や出張に行くときは、基本的に事前の連絡が必要です。

しかしこれは、あくまで破産手続きの間だけの制約です。免責決定後は、旅行に関する制限はありません。また、パスポートに破産に関する情報が記載されることもありません。

自己破産のデメリット

自己破産をすると、信用情報機関に破産をしたというデータが登録されます。いわゆるブラックリストと呼ばれるものです。これにより、5〜7年くらいの間、お金を借りたりクレジットカードを作ったりすることができなくなります。

また、免責許可が確定してから7年間は、再び免責許可を受けることはできません。

自己破産のデメリットは、そのくらいです。

「自己破産をすると大変なことになる」という誤解が広まっているようですが、実はそこまでのデメリットはありません。それに比べて、借金がゼロになるという大きなメリットを得ることができます。

自己破産を積極的に勧めるつもりはありませんが、得られるメリットがとても大きいため、多額の借金を抱えている人は、変な噂に惑わされず、冷静に検討してみるとよいでしょう。

2 「破産しなくても借金問題が解決できる」って、ホント？

ホントです。

借金問題の解決には、さまざまな方法があります。

代表的なものは、任意整理・自己破産・個人再生。これらの解決法を使う際には、司法書士や弁護士といった法律家に依頼するのが一般的です。

いずれも、法律家が介入することで、すぐに取り立てが止まります。

任意整理

債権者それぞれと個別に交渉し、返済を楽にしてもらいます。

・今後の利息免除（あるいは大幅減免）

・利息制限法の法定利率で債務額を算出
・長期の分割返済

などに応じてもらうことで、無理のない返済が可能となります。

任意整理での和解交渉は、自己破産や個人再生のような裁判所を通す手続きではありません。交渉には、司法書士や弁護士といった専門家があたります。

借入先にこれまでの利用履歴（いついくら借りていくら返したのか）を開示してもらい、それらの取引に対して、利息制限法の利率で負債額を算出します。その額に基づいて、利息のカットや分割回数について交渉し、今後の返済計画を話し合いで決めるのです。

任意整理で債務を減額できるのは、利息制限法で定められた利率より高い利息を支払っていた場合です。ショッピングや車のローン、住宅ローンなど、利息制限法より低い金利の借金は減額できません。

それでも、これから支払う分の利息を減らしたり、分割回数を増やして月々の返済額を少なくしたりすることが可能です。

取引によっては借金がゼロになったり、さらに過払い金（払い過ぎていた利息）が返ってくることもあります。

高い利息を取る業者との取引が長いほど、借金の減り幅が大きくなります。どれくらい減額できるかは、利率や借入期間、借り入れと返済の経緯によって異なります。

任意整理をする場合には、安定した収入があることが必須条件です。また、月々の収入から必要な生活費を差し引いた金額（可処分所得）の中で返済を行っていくため、この可処分所得を充分に確保できない場合には、任意整理はお勧めできません。

自己破産

自己破産は、裁判所での手続きが必要です。

免責決定を受けることによって借金をゼロにできるというのが、自己破産の大きなメリット。

「支払い不能」の状態になった場合のみ、自己破産を申し立てることができます。「支払い不能」とは、現在持っている資産や収入などを考慮しても、債務全額の返済は無理だろうと思われる状態のことを言います。

支払い不能かどうかは、借金の総額で決まるわけではなく、それほど借金の金額が大きくなくても、資産を持たず、生活できるギリギリの収入しかない場合、自己破産を認められることがあります。

支払い不能の状態であったとしても、借金の原因がギャンブルや浪費だと「免責不許可事由」に該当し、免責が下りないこともあります。

個人再生

裁判所に申し立てることによって、

・マイホームを残したまま

・大幅に減額された借金を

・原則として3年間で分割して返済

していくという手続きです。

住宅を手放したくない方や、保険の外交員や証券マンなど資格制限に該当する職業の方など、自己破産をすることができない場合に適した方法です。

個人再生には小規模個人再生と給与所得者等再生の２種類があります。

▼小規模個人再生

住宅ローン以外の借金の総額が5000万円以下で、継続して収入を得る見込みのある個人の方が利用できる手続きです。

小規模個人再生の場合には、3年間で、法律で定められた最低弁済額（※）か保有財産の合計金額（時価）のいずれか多いほうの金額を返済する必要があります。

また、債権者の数の2分の1以上の反対がある場合、または、反対する債権者の債権額の合計が全債権額の2分の1を超えている場合には、小規模個人再生を利用することはできません。

（※最低弁済額については135ページをご参照ください）

▼給与所得者等再生

住宅ローン以外の借金の総額が5000万円以下で、継続して収入を得る見込みがある個人、かつ、収入の変動幅が小さい人が利用できる手続きです。

給与所得者等再生の場合には、最低弁済額と清算価値と可処分所得2年分のうち、最も大きい金額を返済する必要があります。基本的に、小規模個人再生の場合よりも返済額は大きくなります。

しかし、給与所得者等再生の場合、要求される債権者数の2分の1以上、および、債権額の2分の1を超える反対があっても、手続きが可能です。

ただし、7年以内に自己破産の免責決定を受けている場合、給与所得者等再生を利用することはできません（小規模個人再生なら利用することができます）。

3　「債務整理をすると、借金が家族にバレる」って、ホント？

どちらとも言えません。

家族に内緒でも債務整理ができることのほうが多いですが、絶対にバレないとは限りません。ただ、気をつけていれば、家族に内緒で債務整理することは、そう難しいことではないでしょう。

家族に内緒で債務整理をしたいなら、任意整理が最も安全な方法です。任意整理は、自己破産や個人再生とは異なり、裁判所を通す手続きではありません。その為、柔軟な対応が可能であり、結果、内緒で行うことができます。

自己破産や個人再生の場合、裁判所への申し立てが必要で、必要書類も多くなります。配偶者名義の口座から光熱費などを引き落としている場合、配偶者の通帳のコピーも必要になります。本人のものに加え、配偶者の給与明細書や源泉徴収票のコピーなども必要になります。これらの書類を用意する際、債務整理をしようとしていることがバレてしまうケースが見られます。

また、申し立ての手続きや面談などで裁判所に行く必要があり、その場合には、平日の昼間に行かなければなりません。すると、会社を休んでどこに行っているのか不審に思われてしまいます。

このように、自己破産や個人再生は、任意整理に比べて家族に知られてしまう可能性が高くなります。絶対に家族に知られたくないという場合には、任意整理が安全です。

しかし、任意整理というのは分割で返済していく方法です。借金と収入の状況によっては、任意整理を選択することが困難なこともあります。そのときは、無理をせず、自己破産や個人再生も検討したほうがよいでしょう。

司法書士も弁護士も、依頼者の味方。「家族に内緒にしたい」という要望があるなら、できる限りの配慮をするものです。

これまでの経験から言うと、家族に内緒の自己破産や個人再生も、なんとかなることがほとんどです。

もちろん、裁判所はいい顔をしません。面談の際に裁判官から「家族に話していますか？」と聞かれたら、ウソをつかずに正直に答える必要がありますが、聞かれなかったら、こちらからあえて内緒であることを伝える必要は必ずしもありません。

家族が知っているかを聞かれるのは、半々ぐらいです。聞かれたとしても、「家計を同一にしている以上、ご家族に借金のことを秘密にするのはよくないですよ。今すぐ話せとは言いませんが、いずれ機会を見て、このことはご家族と話をして、二度とこういうことのないようにしてくださいね」

といったご注意を受けるくらいです。

ただ、これは担当裁判官にもよります。中には、「家族に秘密だなんて論外です。家族に秘密で破産の手続きをするなんてあり得ない」と、厳しく言われたケースもありました。しかし、この場合も免責は下りました。

裁判官に強く言われたからといって、裁判所がご家族に連絡を入れるということはありません。

同居の親族に話さなければ免責を認めない、という規定はないので、法律上は問題のないところです。

自己破産や個人再生の場合、裁判所からの通知が書面で届きます。差出人名が「〇〇地方裁判所 破産係」となっていますが、裁判所からの通知は基本的に司法書士や弁護士の事務所へ送られることになっています。

しかし、まれに申立人に直接送付する裁判所があるので、注意が必要です。

なお、申立人（自己破産や個人再生をする本人）の住所を管轄する地方裁判所で手続きを行う必要があるため、裁判所を選ぶことはできません。

ふくだ総合法務事務所では、申立人に直接書類を送付する裁判所で手続きをする場合は、いつ頃どのような書類が届くのかを依頼人に伝え、「その期間は毎日郵便受けをチェックしてください」と促しています。

このような配慮をすることで、家族に知られることなく債務整理をすることが可能です。とはいえ、もし家族に相談することができるなら、もちろん家族に相談の上、協力して解決にあたることがベストです。

債務整理をしていることがバレたらどうしよう……と躊躇していると、貸金業者からの督促や差し押さえによって借金がバレる危険性が日に日に増していきます。

返済ができなくなったら、なるべく早く専門家に相談しましょう。

4 ――「多重債務者には、ギャンブル好きや買い物依存症ばかり」って、ホント？

ウソです。

ギャンブルや浪費によって多重債務に陥るというイメージが強いと思いますが、そうい

負債原因（人数比）	17 調査
生活苦・低所得	61.47%
病気・医療費	22.70%
失業・転職	16.32%
給料の減少	9.61%
事業資金	17.37%
負債の返済（保証以外）	15.11%
保証債務	14.54%
第三者の債務の肩代わり	4.68%
名義貸し	1.37%
生活用品の購入	12.28%
教育資金	7.75%
冠婚葬祭	1.37%
住宅購入	10.26%
ギャンブル	4.93%
浪費・遊興費	9.29%
投資（株式、会員権、不動産等）	0.81%
クレジットカードによる購入	6.46%
その他	12.04%

（2017 破産事件及び個人再生事件記録調査〈日弁連〉より）

う方はごく一部。多重債務者のほとんどが、普通に暮らしている普通の方です（表をご覧ください）。

その背景には、先述のように借金のハードルが低くなったことがあります。生活費に困ったとき、しっかり家計を見直す前に、手持ちのクレジットカードで簡単に賄えてしまう。これを繰り返すうちに、どんどん債務が膨れ上がっていく。このパターンが大半です。

クレジットカードをショッピングで利用する際、一括払いであれば金利も発生しないため、抵抗なく使っていると思います。しかし、後払いである以上、これも借金の一つの形態であることを忘れないでください。

「私は借金をしていない」と思い込んでいる人も、キャッシングをしていないだけで、車や住宅のローンを組んでいたり、クレジットカードで買い物をしていたり、何かしらの債務を抱えている場合がほとんどです。

ちょっとしたきっかけで返済が滞り、多重債務に陥る可能性があるということを認識しておきましょう。

一昔前であれば、たしかにちょっとだらしない人、金銭管理の甘い人が多重債務者になっていました。しかし、今の社会状況では、急な収入減などによって、誰もが多重債務に陥る危険を抱えているのです。

「明日は我が身」と思って、収入と支出の状況をしっかり把握する習慣を身につけましょう。

5　「多重債務者は年収の低い人ばかり」って、ホント？

ウソです。

年収の高い多重債務者も大勢います。

家計のやりくりというのはなかなか難しく、「給料があと5万円多かったら生活が楽になるのに」と思うかもしれませんが、あなたより5万円多く稼いでいる人は、やはり「もう5万円あったら……」と思っているものです。

貯金ができる人は、稼げるようになったから貯金ができるようになったわけではなく、収入が低いときから計画的に貯金をしています。収入を使い切ってしまう人は、収入が高くなってもやはり使い切ってしまいます。

収入が高い場合、収入の低い人より簡単にお金を借りることができます。借金を抱えているのに、400万円の車をローンで買えたりするのです。そこからさらに太陽光発電装置を100万円かけて設置するなんてこともできてしまいます。

普通なら、どこかで歯止めがかかるものです。無茶な借り入れをしようと思っても、「もう貸せません」となるはずなのですが、勤務先が大手企業であったり、年収が高かったりすると、借りることができてしまう。

すると、毎月住宅ローンに自動車ローンにクレジットカードで、何十万円もの請求がやってきます。これではさすがに収入が高くても、生活が厳しくなっていきます。

家にしても車にしても、一つ一つは決して無謀な買い物ではありません。だからこそ、「買えるはずだ」という感覚になってしまう。

それらが積み上がったら、当然支払いが苦しくなってくるはずなのに、「自分は稼いでいるのだから」と過信する。このような状況でなんとか騙し騙し支払っていると、病気などでしばらく働けなくなったり、冠婚葬祭が続いたりといったちょっとしたきっかけで、ギリギリ回していたサイクルが破綻してしまいます。

収入が減ったり思わぬ支出が続いたりしたら、それに見合った生活にシフトすればよいのですが、生活レベルを下げるというのは、なかなか難しいもの。

もともとの生活費が高い分、速いペースで借金が増えていくのです。

6 「債務整理するとお金が返ってくる」って、ホント？

お金が返ってくることもあります。

ただこれは、債務の種類、借入開始の時期、借り入れの期間、借り入れと返済の経緯などによって変わってきます。

15年くらい前までは、法定利率を超える金利でお金を貸している業者が多く存在しました。司法書士や弁護士に依頼することで、法定利率で過去の取引を再計算し、返済計画を交渉することができるのですが、その際、「実はもうすでに借金を返し終えていた」と発覚することがあります。

中には、法定利率であればとっくに返済が終わっているはずなのに、高い利息を払い続けていることも。この余分に払ったお金を「過払い金」と言い、返してもらうように請求することができます。

事例 破産覚悟で債務整理をしたら、500万円もお金が返ってきた
／榎本さん（52歳・男性）

個人タクシーをしていた榎本さん。体調を崩して思うように働けなくなり、「体調が戻るまで」と生活費を借金で補うようになりました。しかし、なかなか体調は戻らず、ついに

は全く仕事ができなくなってしまいます。

生活費を全て借金で賄い、その返済のために新たな借り入れをするというサイクルは、そう長くは持ちませんでした。もうこれ以上借りることができないという状態になったとき、総債務が300万円にまで膨れ上がっていたのです。

「もうダメだ」

そう思った榎本さんは、ふくだ総合法務事務所の無料借金相談に電話をかけました。

■司法書士・福田はこう解決した！

電話相談のあと、債務整理をしたいというご連絡がありました。体調が悪くて動けないとのことだったので、ご自宅まで伺い、受任をしました。

基本的には事務所までお越しいただいて受任するのですが、事情がある場合には、こちらから出向いて、ご自宅やご自宅近くのカフェなどで受任をすることも可能です。地方の方の場合には、中間駅で打ち合わせや受任をすることもあります（緊急の場合や、事情によっては郵送での受任も可能です）。

榎本さんは当時、全く仕事ができない状態でした。収入の見込みがなければ任意整理はできません。なので、はじめは自己破産の方向で考えていました。

しかし、債務状況を調べてみたら、過払い金がたくさん出てきたのです。最後は自転車操業のような状況になっていましたが、体調がすぐれないながらもできる限り働いて頑張って返済してきたようです。

受任したのは平成23年8月。古くから取引があったため、法定利率以上の利息を長期に渡って払い続けてきた榎本さん。300万円の借金があると思っていたのに、逆に500万円もの過払い金を手にする結果となりました。

2008年（平成20年）より前から消費者金融との取引が続いている場合、任意整理をすることで大幅に借金が減額されたり、過払い金が返ってきたりすることがあります。該当する方は、司法書士や弁護士といった専門家に相談してみることをお勧めします。

7 『闇金ウシジマくん』に出てくる話って、ホント？

半分ウソで、**半分ホント**です。

作者の方は、非常に丁寧な取材をして漫画を描いていらっしゃる。そこに出てくるエピソードは、真に迫ったものばかりです。そういう意味では、ホント。

しかし、重要な部分にウソがあります。それは、ウシジマくん（ヤミ金）が現金を手渡しで顧客に貸したり、取り立てたりしているところ。

今時、客の前に姿を見せるヤミ金業者など、ほとんど存在しません。現金を手渡しというのはなかなかあり得ないことです。

昨今のヤミ金は、携帯1本。事務所すらありません。「090金融」という言葉を聞いたことがあるかもしれませんが、それは、こんなヤミ金の営業スタイルからつけられた名称です。

ヤミ金というのは非合法な営業ですから、人前に姿を現すことはほとんどありません。とはいえ、漫画の主人公が姿を見せないというわけにはいきませんので、あのような描き方になっているのだと思います。

最近では、ＬＩＮＥを使って営業したり、Amazonポイントや楽天ポイントで返済させたりするヤミ金業者も出てきました。

携帯電話や銀行口座を使わない分、足がつきにくくなるのでしょう。

どんな人がヤミ金業者からお金を借りるの？

当然のことながら、ヤミ金でお金を借りるというのは、非常にリスクの高いことです。どんな人がヤミ金を利用しているのでしょうか？

それは、ヤミ金以外からお金を借りることができなくなった人です。借金が多すぎてカード会社や消費者金融の審査に通らなくなった人や、生活保護を受けている人など。騙されてヤミ金をつかまされたとか、普通の業者だと勘違いしてヤミ金から借りてしまったという人は、あまりいません。

皆さん、ヤミ金だと知っていながらも、他では借りられないので仕方なく利用しているというのが実情です。

ネットで検索すると、「30万円まで即日融資可」などと書いてありますが、実際にはそのようなことはありません。最初はせいぜい1～3万円です。「まずは少額からの取引で信用をつけてください」と数万円の貸付をするのです。

その際、「簡単な審査があります」などと言って、住所や勤務先、家族構成、家族や親戚の連絡先など、身の回りの情報を聞き出します。これは別に審査などではなく、返済が滞ったときに取り立てをするための情報です。

勤務先や家族の連絡先など言いたくないと思っても、他に借りるあてのない人は、目先のことで頭がいっぱい。冷静な判断力を失って答えてしまうのです。

ヤミ金からの嫌がらせ

取り立てを無視して滞納を続けると、執拗な嫌がらせが始まります。いたずら電話やいたずらメールなどは当たり前で、時には大量の出前を頼まれてしまうことも。

本人宛ての嫌がらせをしてもまだ返済しないときには、最初に聞き出していた情報の出番となります。勤務先や家族に電話をかけるわけです。これはたまりません。利息だけでも入れておこうと、必死でお金をかき集めます。

ヤミ金業者にとって、嫌がらせは効率よく回収するための常套手段なのです。

司法書士・弁護士に頼むとどうなるの？

司法書士や弁護士に依頼すると、ヤミ金との交渉をしてもらえます。交渉といっても、相手は違法業者です。直接会ってはくれませんので、電話での交渉になります。

基本的には、

・司法書士・弁護士が受任したこと

・違法な取引のため返済をする必要がないこと
・今後一切の連絡を取らないようにという忠告を一方的に伝えます。
ヤミ金から受け取った分のお金を既に送金していれば、これで解決することがほとんどです。

相手は違法業者なので、法律家が入ると非常に分が悪くなります。だったら、「面倒なことになった人はとっとと諦めて、他の人から絞り取ろう」ということになります。

しかし、時にはそれでも嫌がらせが止まらないこともあります。その場合の対応については、事務所によって異なります。

ふくだ総合法務事務所では、交渉後の嫌がらせに対しては、徹底した対応を取るようにしています。
・警察の生活安全課から相手業者に電話を入れてもらう
・相手業者の銀行口座と携帯を止める
最低でもここまでは行います。

債務者1人で警察に行ってもまともに対応してもらえないことがあるので、なるべく司法書士の福田が同行するようにしています。遠方の場合には、電話で警察に事情を説明し、フォローいたします。

ヤミ金の案件については受けていない事務所も多いので、事前に確認しておきましょう。ヤミ金以外の債務整理も同時に行いたい場合には、ヤミ金についても扱っている事務所に頼むと、スムーズに進むでしょう。

事例 嫌がらせを受けている状態からの円満解決／大橋さん（52歳・女性）

生活がギリギリだったところに親の介護費の負担が重なって借金がかさみ、もうどこからも借りられなくなってしまった大橋さん。とうとうヤミ金に手を出してしまいました。

ヤミ金から借りた金額は3万円。借りる際に自分の勤務先や夫の携帯電話番号と勤務先を聞かれていました。

返済日、どうしても返せずにいると、勤務先にヤミ金から電話がかかってきました。「明日支払わなければ、旦那の勤務先に電話をするので」と言って、電話が切れました。

「これはマズい」。そう思った大橋さんは、相談できる先を探します。しかし、司法書士や弁護士の事務所はどこも営業時間外。必死でネット検索する大橋さんの目にとまったのが、24時間電話ＯＫ（当時）のふくだ総合法務事務所でした。

■司法書士・福田はこう解決した！

大橋さんから電話があったのは21時でした。

「今、手元にはお金がないけれど、明日の嫌がらせをなんとか止めてほしいんです」とおっしゃいます。また、借りた分の３万円は、分割で返す意思があるとのこと。

代表司法書士が直接交渉し、やれることはやってみるけれど、嫌がらせを止められるかは保証できない。そのような内容でご納得いただき、受任しました。

翌日の朝９時に、ヤミ金に電話をかけ、

「司法書士が受任したので、本人に対する連絡はせず、今後は弊所に連絡をしてほしい」

「本人が受け取った金額は返すので、今後は一切の嫌がらせをしないでもらいたい」

という旨を伝えました。

毎月１万円ずつの３回払いというところにかなり難色を示したものの、粘り強く交渉した末、「まあ、今回は先生に免じて待つよ。その代わり、3カ月間、ちゃんと事務所が対応してよ」と、一応の和解をすることができました。

その後、大橋さんは3カ月かけて返済。依頼をして以降、嫌がらせは一切なかったということです。

コラム　ヤミ金案件の解決方法

ご紹介した大橋さんの事例では、「借りた分は返済する」という方針を取りました。しかし、実はヤミ金から借りたお金は、法的な返済義務がありません（最高裁平成20年6月20日判決）。これは、利息はもちろんのこと、元金についても返済義務がないということです。

本書では分かりやすさを優先させるため、ヤミ金についても「借りた」「返済」「返す」といった表現をしていますが、本来であれば、これは借金ではないということになります。

なので、「ヤミ金については一切返済しない」という方針を取ることも、もちろん可能です。しかし、大橋さんのような状態になっているとき、「受け取った元金も一切返済しません」と相手方に言ったら、どうなるでしょうか？ おそらく、本人の職場だけでなく、ご主人の職場にも嫌がらせをされることでしょう。

ヤミ金からの嫌がらせがあれば、職場にいづらくなってしまうかもしれません。はたしてこれが、円満な解決と言えるのか……。私はそうは思いません。

このような点をふまえ、ふくだ総合法務事務所では、あくまでも前記最高裁判例の立場に立ちつつ、事案によっては、受け取った金額の限度で返済し、円満解決を図るという方針も採用しております。

ただ、繰り返しになりますが、ヤミ金から借りたお金は、元金を含めて一切の返済義務がないことを、ここで改めて強調しておきます。

コラム

給料ファクタリングについて

最近、給料ファクタリングに関する相談が増加しております。

給料ファクタリングの仕組みですが、給料日の前に、給料の一部を給料ファクタリング業者へ売却し、その売却した給料額から一定割合が割り引かれた金額のお金を受け取り、その後、給料日に売却した給料分の金額（割り引かれる前の金額）を返金するというものです。

弊所にて実際に受任した案件では、毎月の給料20万円のうち、5万円分を給料ファクタリング業者へ売却し、その業者から（2万円が割り引かれた）3万円を受け取り、給料日になったら5万円を業者へ返金するというものでした。

利用者からすれば、たとえ割り引かれた金額であっても、給料日前にお金を得られる（実質的に給料の前借りができる）という理由で、どうやらここ数年流行っているようです。

（ここからは弊所の私見となります）

ただ、給料ファクタリングの利用は決してお勧めできません。

私は、今ある給料ファクタリングは、そのほとんどが違法な高金利による貸付と認識しております。その理由は、これらの業者との取引は、形式的にはファクタリング取引の形を取っていても、実質的には金銭消費貸借取引と同視されるものがほとんどだからです（少なくとも本書執筆時点で私が受任した案件はすべて、類似事案についての判決例に照らすと名目はファクタリング取引であっても、実質的には金銭消費貸借取引に準じるものであり、利息制限法１条の類推適用がなされるべき事案でした）。

私がこの点を給料ファクタリング業者に確認したところ、本件はあくまでも給料の売買であり、決して貸付ではないと回答されました。業者としては本件の金銭のやり取りが貸付にあたることになれば、違法な金利を要求し、得たことになります（本件の利息を年利に直すと約８００％となり、これは法律上認められる上限金利年20％の40倍にもなります）。そうなれば、ヤミ金業者として、貸金業法や出資法違反となり、刑事罰が科される可能性があります。業者としては貸付と認めるわけにはいかないのでしょう。

では、なぜ売買が終わった後で、割り引いた金額を上乗せしたお金を請求し、受け取るのかを尋ねたところ、その金額まで返金すれば、給料債権を購入したことを勤務先に秘密にするとのことでした。

逆に言えば、「渡した3万円に2万円を加えた5万円を払わないと、給料債権を購入したことを勤務先にバラすぞ」ということでしょうか。しかしこれでは、給与ファクタリングを利用した人にとっては、ヤミ金から3万円を借りて、「5万円返さないと勤務先に電話するぞ」と言われているのと変わりません。

以上の理由により、弊所は給料ファクタリングについては決して利用すべきでないとの立場をとっています。

給料ファクタリングについても弊所は対応しておりますので、もし給料ファクタリングでお困りの際は、弊所までご相談ください。

第3章

借金解決のアノ手・コノ手

交渉や法的な手続きを経て借金問題を解決することを「債務整理」と呼びます。代表的な債務整理の方法に、任意整理・自己破産・個人再生があります。

1　プロの交渉術が冴えわたる――任意整理

返せる範囲で返していく

任意整理とは、法的手続きを取らず、消費者金融やカード会社と個別に交渉して、返済しやすいプランを組んでいく方法です。

最初に「月額いくらまでなら返済に充てられるか」という金額を決めます。このとき決して無理をしてはいけません。この金額を基準に、借入先と交渉していきます。全ての債権者への返済額を合わせた金額を返済可能額内に収めなければならないため、借入先が多い場合、バランスを考慮しながら交渉にあたります。

交渉の結果、双方納得のいく返済プランが決まったところで和解契約を結び、その後は、和解契約書に記載されているとおりに返済していきます。

司法書士や弁護士に依頼した場合、その後の利息は発生しないことがほとんどです。また、業者や借入状況にもよりますが、最長で5年間の60回払いにすることができ、無理のない返済が可能です。

もし、60回払いでも返済が難しいほど借金が大きい場合、もしくは収入が少ない場合には、自己破産か個人再生を検討したほうがよいでしょう。

一部の業者についてだけ任意整理することが可能

任意整理の大きな特徴の一つに「借入先を選んで任意整理することができる」というものがあります。

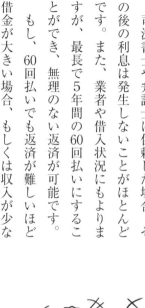

自己破産や個人再生といった法的手続きを踏む場合、全ての借入先を手続きに含める必要があります（個人再生の住宅ローンは除く）。そうなると、全ての借入先に債務整理をしたことが知られてしまいます。

会社や知り合いからの借り入れがあって、「バレたら困る」という場合、自己破産や個人再生という手段を取ることはできません。

その点、任意整理は文字通り「任意」なので、「この借入先は任意整理するけれど、この借入先はそのままにしておく」ということが可能です。

返済額が減る

債務総額は、利息制限法に定められた利率でそれまでの取引を再計算して決めることもできます。しかし、ここ最近は、ほとんどの業者がもともと利息制限法内での利率を採用しているため、再計算が意味をなさないことも増えてきました。

古くからの借り入れがある場合、法定利率を上回る利息を払っていることがあり、再計算によって債務総額が減ることも考えられます。また、場合によっては、過払い金が返ってくることも。

新しい借り入ればかりで債務総額が減らなかったとしても、今後の利息を支払わなくてすむように交渉しますので、最終的な返済額を大きく減らすことができます。

任意整理の流れ

①受任通知

司法書士や弁護士に任意整理を依頼すると、「任意整理を受任しました」という通知（受任通知）と取引履歴の開示請求を借入先に送ります。受任通知を受け取って以降は、ご本人には支払いの催促をしてはいけないことになっているため、すぐに取り立てが止まります。

また、依頼者ご本人には、和解契約が成立するまで、借入先に対する返済を止めてもらいます。

②取引履歴確認

1～2カ月ぐらいで、いついくら借りて、いついくら返して……という情報が一覧になった取引履歴が届きます。全ての業者から取引履歴が出揃ったところで、総債務を確認します。

③返済計画立案

「毎月このくらいだったら返済できます」と依頼者の提示した金額を元に、各借入先の債務額に応じて割り振って、「A社には毎月5000円、B社には毎月3000円……」と、返済計画を立てます。

④和解契約

返済計画について依頼者の同意が得られたら和解案を作成し、借入先に送ります。相手がそれにOKしたら、和解契約を結びます。もし、相手が「ここは応じられない」と言ってきたら、交渉しながら双方の落としどころを探っていきます。

和解契約締結後は、和解契約で定めたとおりに依頼者が返済していきます。

任意整理をしたほうがいい場合

任意整理ができるのは、
・債務総額が大きすぎない
・決まった安定収入が見込める
といった場合に限られます。

「総債務が〇〇万円以下なら任意整理できます」と一概に言えるものではありません。毎月の可処分所得のうち、「このくらいなら返済に充てても問題ない」という返済予算×60よりも総債務が多い場合には、任意整理はお勧めできません。よく、可処分所得全額を返済予算にしようとする方がいますが、それでは、万が一何かあったときに困ってしまいます。

基本的に、任意整理に応じてもらえる分割回数は、長くても5年60回払いまで。それ以上の分割回数を組んでくれる会社も昔はありましたが、今はどこも厳しくなってきました。

毎月無理なく返していける金額の60倍よりも債務総額が多い場合、無理をせずに、個人再生か自己破産を検討したほうがよいでしょう。

再びカードが作れるようになるまでの期間

債務整理を依頼した時点で、クレジットカードやローンカードは全て破棄します。受任通知がカード会社や消費者金融に届くと、そのデータが信用情報に登録されます。これがいわゆる「ブラックリストに載る」ということです。

こうなると、新たにカードを作ることができなくなります。任意整理後、完済から5年が経過すると、債務整理をしたこと自体が信用情報から削除されます。とはいえ、カード会社や消費者金融の独自の内部情報まで消えるわけではないので、債務整理をした会社には情報が残り続けると思っておいたほうがよいでしょう。

ふくだ総合法務事務所の任意整理

利息には、和解契約締結のときまでにすでに発生している利息と、その後に発生する利息とがあります。ふくだ総合法務事務所では、基本的に和解契約締結後に発生する利息については全部カットしてもらうよう交渉していきます。これに応じてくれない業者も中にはありますが、ほとんどは和解契約締結後の利息をカットしてくれます（本書執筆時）。分割返済は３～５年かかりますから、この利息があるのとないのとでは、大きく負担が変わってくる重要なポイントです。

これは、ここまでの交渉の積み重ねで培ってきたもので、どの事務所に任意整理を頼んでも利息カットで和解できるとは限りません。粘り強く交渉する姿勢と、これまでどのような和解を結んできたかという実績によって変わってくる部分です。

コラム

長期分割を認めない業者

任意整理をすると、36～60回程度の分割を組むことができる場合がほとんどです。しかし、常にこのような分割が組めるとは限りません。

金融業者によっては、長期分割を認めないという方針のところもあります。

このことを知らずに任意整理の手続きを取ってしまうと、あとで大変なことになります。

分割での支払いを一切認めない（任意整理を認めない）業者、分割は認めるものの応じる分割回数が極端に少ない（3回までなど）業者等、任意整理に対する姿勢はさまざまです。

ふくだ総合法務事務所では、これまで膨大な数の任意整理を成立させてきたため、業者名を聞けば、そこが何回までの分割を認めるのかが分かります。しかし、その地域のみで営業している「マチ金」と呼ばれるような業者の場合、その業者がどの程度の分割まで認めてくれるかが分からないこともあります。

そのような場合、相談者の個人情報は伏せて、受任前に直接その業者に問い合わせるようにしています。

代表司法書士の私が直接電話や書面で尋ねるのです。すると「取引の内容にもよるけど、うちは最長でも24回までです」というように、答えてもらえることもあります。

金融業者から「そこまでする先生は珍しいよね」と言われることもありますが、受任後に依頼人が困ることがないよう、事前に情報を得るようにしています。

事例　60回を超える長期分割で和解成立／溝口さん（45歳・女性）

夫から家計管理を全て任されていた溝口さん。子どもが成長するにつれ、毎月の生活費が少しずつ足りなくなっていきました。そして、その不足分をキャッシングで補ううちに、多重債務状態へ。しかし、「お金が足りない」とは夫には相談できずにいました。気づけば総債務は3社から約２００万円。返すために借りる、を繰り返し、ついに返済の限界が来てしまいます。

こうして、ふくだ総合法務事務所の無料借金相談を受けに来たのです。

■司法書士・福田はこう解決した！

溝口さんは、「とある事情があり自己破産はできない」とのこと。任意整理の手続きを希望していました。

しかし、ここで一つ問題が……。毎月どう頑張っても2万５０００円しか返済に充てられないと言うのです。

「ご主人に事情を話して、協力を求められませんか?」と聞きましたが、「夫はお金に厳しい人で、借金が２００万円もあるとバレたら、大喧嘩になることは目に見えています。最悪、離婚されるかもしれない」と。

任意整理は通常、最長でも5年間（60回）の分割までしか認められません。溝口さんの希望通りにするとなると、２００万円の債務を2万５０００円ずつ返済することになるため、80回分割になってしまいます。

「毎月2万５０００円の予算で各社と合意できるかは分かりませんが、できる限りのことはやってみます」ということで受任しました。

まず、借入先の3社について、弊所との過去の和解実績を確認しました。

すると1社、過去に80回の分割で合意していたことが判明しました。しかもこの業者が一番の大口債権者（債権額１００万円）だったのです。

もし、この業者と長期の分割が組めれば、その他の交渉がずっと楽になります。なのでまずは、この業者に集中して交渉を開始しました。

最初はやはり、「基本的に60回までの分割でお願いしています」と言われました。それにひるまず、依頼人の家計状況、多重債務状態に至った事情、長期分割を組んでもらえればきちんと返済していける旨を説明し、交渉を重ねました。

結果、「そちらの事務所とは付き合いも長いし、今回は特別ですよ！」ということで、１００回の分割を組んでもらうことに成功しました。

最終的には、３社合計で２万４０００円に収めることができ、依頼人の方には大変喜んでいただけました。

このように、上手く交渉すれば、60回を超える分割合意が得られる場合もあるのです。

2　法律の力で借金ゼロに！――自己破産

自己破産とは、全ての債務を免除してもらうための手続きです。必要書類を揃えて裁判所に申し立てをし、支払い不能であることが裁判所に認められ、免責が許可されると、これまでの債務について返済する必要がなくなります（税金等を除く）。

ただし、20万円を超える価値のある財産は換金し、債権者に配当されます。逆に20万円以下の預貯金や車などは、手元に残すことができます。

自己破産の流れ

①受任通知

司法書士や弁護士に自己破産を依頼すると、受任通知が借入先に送付されます。受任通知を先方が受け取って以降は、取り立てが止まります。

また、依頼者は、全ての返済を止めることになります。

②債務調査

受任通知を送付すると、1～2カ月ぐらいで、債権者から債権届が届きます。ここには、借金がいくら残っているかが記載されています。債務調査は事務所が行う作業なので、依頼者は特にやることはありません。

③資料の用意

裁判所に提出する書類を作成します。書類作成自体は事務所が行いますが、記載内容について依頼者からの聞き取りが必要です。

また、財産状況を明らかにする必要があるため、銀行口座の通帳、同居人の給与明細や保険の解約返戻金証明書、退職金計算書、自動車を持っているなら車検証といった資料を揃えます。家計の状況が分かるように、家計簿も正確につける必要があります。

④破産申し立て

書類ができたら、申立人の住所を管轄する地方裁判所に申し立てをします。

弁護士に依頼した場合には、弁護士が代理人となって申し立てます（代理人申立）。司法書士に依頼した場合には、本人が申し立てることになりますが（本人申立）、一般的には本人が裁判所に行って申し立てる必要はなく、司法書士のほうで書類を提出します（ただし、申立時に本人が窓口に行く必要のある裁判所もあります）。

⑤債務者審尋

破産手続きの開始要件を満たしているかを審査するための聞き取り調査です。これは裁判所で行われます。

裁判官からいろいろと質問を受けるので、それに回答します。事前に書面での説明を求められることもあります。

債務者審尋を実施しない裁判所もあります。

⑥破産手続開始決定

自己破産の手続きは、裁判所による破産手続開始決定によって開始されることになります。

この破産手続開始決定は、かつて「破産宣告」と呼ばれていたものに該当します。

〈管財事件の場合〉

⑦管財人面談

破産者の財産を調査し、換金すれば20万円を超えるものがある場合には、その財産を売却して、売却代金を各債権者に平等に分配する必要があります。

このとき、財産の売却や配当を管理するのが破産管財人です。通常は、裁判所から任命された弁護士が担当します。

管財事件扱いとなった場合には、破産管財人と面談を行います。この面談は、破産管財人の事務所で行われることがほとんどです。

借金の時期や理由、収入や生活状況、財産の内容などについて、破産管財人から聞き取りを受けます。面談時間は20～30分程度です。また、財産がなくても、浪費などの免責不許可事由の存在が明らかで、免責を受けさせるかどうかについて管財人の調査が必要な場合にも、管財人が選任されます。

⑧債権者集会

債権者集会というのは、債権者に破産手続きに関する情報を開示し、債権者の意見を聞くための集会です。裁判所で行われます。

事業主でない個人の破産の場合、債権者は呼ばれても出席しないことがほとんどで、淡々と進行し、所要時間は５分程度です。

〈同時廃止事件の場合〉

⑨廃止決定

裁判所の決定によって、破産者の清算がすむ前に破産手続きを終了させることを「破産手続きの廃止」と言います。

管財事件にするだけの財産がなく、免責にも問題がない場合には、破産手続きの開始とともに財産の調査と分配の手続きも終わりにする「同時廃止」となり、破産手続開始決定と同時に廃止決定も出ます。

⑩免責審尋

免責してもよいかどうかを判断してもらうため、裁判官と面談をします。裁判所が問題なしと判断すれば、免責許可が下ります。所要時間は10〜20分程度。集団で行う場合には、待ち時間なども発生します。

裁判所によっては、免責審尋を行わないところもあります。

⑪免責許可決定（または免責不許可決定）

免責審尋から1週間ほどで、免責の許可または不許可の決定がなされます。

⑫免責許可確定

免責決定が確定すると、債務の支払い義務が免除されます。

免責許可については、免責決定後２週間くらいで官報に掲載され、その後さらに２週間ほどで確定します。

管財手続きと同時廃止

財産の清算価値が20万円を超える場合、それを売却して債権者に分配するため、管財事件となります。また、財産がなくても、浪費等の免責不許可事由の度合いによっては管財事件となる場合があります。このとき、管財のための手続きにかかる費用は、裁判所に現金で前払いしなければなりません。管財人への報酬は、そこから支払われます。

支払う費用というのは、裁判所によってまちまちです。弊所で担当した中で一番少なかったところで10万円、多いところだと50万円ということがありました。

申し立てをする前に、「これだと管財事件になりそうだ」ということはだいたい分かります。なので、たとえば保険の解約返戻金が30万円あるような場合には、あらかじめ保険を解約して30万円を現金化しておき、それを裁判所への支払いに充てるなど、対策を取っておきます（ただし、これができない裁判所もあります）。

これといった財産はないけれど、なぜか保険だけはたくさん入っていて返戻金の合計が20万円を超えてしまうというケースが割と見られます。この場合には、申立前に解約し、その返戻金を司法書士や弁護士への報酬支払いに充てることで、同時廃止にしてもらえる場合もあります。

財産が20万円未満で免責不許可事由（※）に該当しなければ、同時廃止の手続きが取られます。

（※免責不許可事由については131ページをご参照ください）

審尋・面談について

同時廃止の場合、裁判所に行って裁判官と面談をするのは、0〜2回です。裁判所に何回行くことになるかは、裁判所によって違います。多いところで2回ほど裁判所に行くことになりますが、中には、書類を提出するだけで、申立人が裁判所に行かなくても免責許可決定が出ることもあります。

管財事件の場合は、破産管財人の事務所で管財人面談をします。その後、通常は2~3カ月の間、管財人に家計簿を提出し、その内容をチェックしてもらうという手続きがあります。

同時廃止の場合でも、債務者審尋と免責審尋の2回面談を行う裁判所もありますし、同時廃止になりそうな場合には、債務者審尋と免責審尋を一緒に行うという形にして、1回の面談ですませている裁判所もあります。

自己破産をしたほうがいい場合

自己破産をしたほうがいいのは、

・任意整理ができない（可処分所得のうちの返済可能額×60が債務総額に達しない）
・守るべき財産がない
・資格制限にかかる職業ではない（※資格制限については後述）

といった3つを満たしている場合です。

借りたものはなるべく返しましょう、という倫理的観点からは、任意整理→個人再生→自己破産という順番で検討すべきでしょう。しかし、財産も資格制限もないのであれば、個人再生を選択する理由はないため、任意整理で完済するのが困難であれば、債務が全てなくなる自己破産をすることが妥当です。

破産中に就けない職業について（資格制限）

一部の職業について、「破産者は就くことができない」と法律で定められています（資格制限）。破産決定から免責確定までの間、資格制限に該当する職業には就くことができません。免責確定とともに資格制限は解除されます。

自己破産による資格制限がある職業について、主なものは次のとおりです。

・弁護士、公認会計士、税理士、司法書士
・後見人、遺言執行者
・生命保険募集人および損害保険代理店

・宅地建物取引業および宅地建物取引士
・旅行業および取扱主任者
・警備員

この他にも資格制限にかかる職業はありますが、一般企業で事務や営業といった仕事に就いている場合には、とくに影響がないと思って差し支えありません。

免責不許可事由

・借金の原因がギャンブルや過度な浪費である
・ヤミ金から借りたり、ショッピング枠の現金化をしたりしている
・金融業者などへの支払いは止めていたのに、親戚や知人にだけは返済をするというような、特定の借入先だけ優先するような返済をしている（偏頗《へんぱ》弁済）

といったことがあると、免責を受けることができません。

このような「これをやったら免責できませんよ」という要件を「免責不許可事由」と言います。つまり、債務者として真摯でない行動をしていた人には、原則として免責を与え

ないということです。

免責不許可事由に該当することが明らかで、免責をすべきかを管財人が調査する必要のある案件の場合、管財事件扱いとなり、管財人が面談で事情を聞き取り、免責を許可してもよいか不許可とすべきかを判断します。

ギャンブルや浪費については、ある程度の範囲であれば、反省文を提出することで同時廃止として処理してもらえることもあります。

また、何カ月か管財人の指導のもとに生活を立て直し、反省文を出すという条件で免責を認めてもらえる場合もあります。

何千万円ものお金をギャンブルや夜遊びに使っていて免責は到底認められそうにないという場合には、自己破産は諦めて個人再生を選択することになります。

また、生活が苦しいと、だんだん自転車操業的に借金を重ねていくものです。返せないと分かっていながら、返済のために借りてしまう。これは、返せる見込みがないのにお金を借りているということで、本来なら免責不許可事由に該当します。

とはいえ、基本的には、司法書士や弁護士に相談した以降に借り入れをしていなければ、免責が認められることがほとんどです。ただ、そういうことをしてしまった人に対しては、裁判官から強い言葉かけがあります。

3 マイホームは手放さずに借金を大幅減額——個人再生

破産のように裁判所で手続きをするけれど、借金が全額なくなるわけではない個人再生。その大きな特徴は、住宅ローン以外の債務について大幅に減額できるところにあります。どうしても家を手放したくないときは、個人再生を使うとよいでしょう。

「住宅ローン以外の借金について大幅に減額し、３〜５年で分割返済する」

これが個人再生です。

住宅ローンについては、これまでどおりの返済をしていきます。

ローン支払い中のご自宅を手放したくない方、もしくは、保険の外交員や証券マンなど資格制限に該当する職に就いているため自己破産を選択できない方に適した方法です。

住宅ローン特別条項

個人再生には住宅ローン特別条項というものがあります。これが、マイホームを残して債務整理をするための鍵です。

自己破産の場合、全ての債権者を平等に扱うため、住宅ローンをそのまま残すということはできません。住宅ローン支払い中の自宅は、売却せざるを得ないのです。

しかし、個人再生の場合、住宅ローンについては減額しないで払いつつ、住宅ローン以外の債務について5分の1ほどに圧縮して3~5年の分割弁済をしていくことができます。

住宅ローンを借りている金融機関にも、個人再生をしたという連絡は入ります。しかし、そのことで住宅ローンを打ち切られたり、何か言われたりするようなことはありません。

小規模個人再生

小規模個人再生とは、
・住宅ローン以外の借金の総額が5000万円以下
・継続して収入を得る見込みがある
といった場合に利用できる手続きです。

小規模個人再生の場合には、3～5年で、下記表の最低弁済額と保有財産の清算価値のうち、多いほうの金額を返済します。

また、
・債権者の数の2分の1以上の反対がある場合
・反対する債権者の債権額の合計が全債権額の2分の1を超えている場合には、小規模個人再生を利用することはできません。

借金総額	最低弁済額
0円～100万円未満	全額
100万円～500万円未満	100万円
500万円～1500万円以下	借金総額の5分の1
1500万円超～3000万円以下	300万円
3000万円超～5000万円以下	借金総額の10分の1

給与所得者等再生

給与所得者等再生とは、

・住宅ローン以外の借金の総額が５０００万円以下

・継続して収入を得る見込みがある

・収入の変動幅が小さい

といった人が利用できる手続きです。

給与所得者等再生の場合には、「最低弁済額」と「財産の清算価値」と「可処分所得2年分」のうち、最も大きい金額を返済します。

基本的に、小規模個人再生の場合よりも返済額は大きくなりますが、給与所得者等再生の場合、債権者の反対があっても手続きが可能です。

ただし、7年以内に自己破産の免責決定を受けている場合、給与所得者等再生を受けることはできません（小規模個人再生なら受けることができます）。

個人再生の流れ

①受任通知

司法書士や弁護士に個人再生を依頼すると、受任通知を借入先に送ります。受任通知を先方が受け取って以降は、取り立てが止まります。

また、依頼者ご本人には、住宅ローン以外の債務について全ての返済を止めてもらいます。住宅ローンは、そのまま支払いを続けます。

②債務調査

誰が債権者で、どのくらい債務があるのかを正確に調べます。これは、依頼者は特にやることはなく、事務所のほうで行う作業です。

③申立書作成

裁判所に提出する書類を作成します。書類作成自体は事務所が行いますが、記載内容について依頼者からの聞き取りが必要です。また、通帳のコピーなどの資料を揃えたり、家計簿をつけたりしてもらいます。

④申し立て

書類ができたら、裁判所に申し立てをします。

弁護士に依頼した場合には、弁護士が代理人となって申し立てます（代理人申立）。司法書士に依頼した場合には、本人が申し立てる（本人申立）ことになりますが、一般的には本人が裁判所に行って申し立てる必要はなく、司法書士のほうで書類を提出します。

⑤個人再生委員との面談

個人再生委員という裁判所の補助をする弁護士との面談があります。ここで現在の生活状況や財産状況、個人再生に至った事情、借金がいつ頃どのように増えていったのかなどを聞かれます。この面談は、裁判所ではなく、個人再生委員の事務所で行います。

この面談が終わってから弁済開始までの間、依頼者本人が行う作業はほとんどありません。

⑥個人再生手続きの開始決定

面談の内容をもとに個人再生委員が裁判所に対して、個人再生手続きを開始すべきかどうかについて意見書を提出します。その後、裁判所から正式に個人再生手続きの開始決定が出ます。開始決定が出るかどうかについては、個人再生委員からの意見書が大きな影響を与えています。

⑦債権届の提出

債権者（借入先）が裁判所に債権届を提出します。債権届には、債権者の名称や住所といった情報と、債権の内容・種類・金額などが記載されています。

⑧再生計画案の提出

「900万円の債務を300万円に減額した上で、各社均等に5年分割で返済。住宅ローンについては契約どおり払っていきます」というような個人再生計画を裁判所に提出します。

⑨書面決議

債権者によって再生計画案の決議が行われます（小規模個人再生のみ）。これは実際に集まるわけではなく、書面で行います。

⑩認可決定

書面決議で可決されると、個人再生委員が再び意見書を裁判所に提出し、それに基づいて裁判所が認可決定を出します。

この後は、再生計画どおり返済をしていきます。

個人再生をしたほうがいい場合

任意整理をしても5年以内に完済できないくらい債務が多い場合、個人再生か自己破産を検討することになります。

総債務÷60の金額を毎月払うことはできないけれど、総債務÷300だったら払えるという場合、個人再生が可能です。

また、住宅ローン支払い中の自宅を手放したくない方、職業の関係で自己破産が難しい方も、個人再生がいいでしょう。

書面決議によって個人再生ができなくなることはあるの？

これまでは、書面決議によって再生計画案が否決されることは、ほとんどありませんでした。しかし近年は、10件に1件くらいの割合で否決されるようになってきています。

以前は、そもそも賛否の投票をしない債権者がほとんどでした。債権者が書面を出さずに放置していた場合、反対としてカウントされません。債権者の多くが無視すれば、再生計画は通るのです。

それが最近は、半分くらいの業者が書面を提出するようになってきました。その中に、反対の投票をしてくる債権者が何社かあるのです。

個人再生ができなかった場合は、自己破産を選択することになるでしょう。

個人再生であれば多少なりとも返済されるものが、自己破産になったら1円も返ってきません。債権者にしてみれば反対することは得策ではないように見えます。そのことをと

ある消費者金融の担当者に聞いてみたところ、
「この方は、最初に50万円を借りて全く返さないうちに手続きに入りましたよね。そういう場合には否決することに内規で決まっているんです」
とのことでした。金融業者側も、安易に個人再生手続きの利用をする顧客には、厳しい対応を取るようになってきたようです。

自動車は手放さなくてはいけないの？

ローン支払い中の自動車については、自己破産でも個人再生でも、引き上げられてしまいます。ローンの支払いが終わった車の場合、時価が20万円以下であれば、自己破産でも個人再生でもそのまま維持することが可能です。

自己破産と個人再生で違いが出てくるのは、ローンが終わっていて、かつ、時価が20万円を超える自動車についてです。破産の場合は手放さなくてはなりませんが、個人再生であればそのまま手元に残すことができます。

しかし、個人再生においては、最低返済額または財産の精算総額のうち、どちらか多いほうの金額を弁済しなければならないという規定があります。最低返済額は１００万円であったとしても、時価２００万円の高級車を持っていた場合、２００万円を分割して返していくことになります。

官報への掲載

個人再生をすると、開始決定と認可決定の際、官報に掲載されます。決定後、官報に掲載されるまでの期間は、だいたい２週間前後です。

とはいえ、基本的には、官報に載ったからといって、周囲に知られることはほとんどありません。

ただし、ある地方ビジネス情報誌が、その月に出た官報の破産開始決定や個人再生開始決定の情報を載せている、というようなことが実際にあります。この情報誌は、市内の飲食店や理髪店などに置いてあるため、その地域の方が自己破産や個人再生をする際には注意が必要です。

職業について

自己破産には、「資格制限」というものがあり、手続き中、ある一定の資格を持つことができません。その資格を活かして仕事をしている方は、免責が下りるまで仕事ができなくなってしまいます。

しかし、個人再生については、その資格制限がありません。

また、会社の取締役も、自己破産をするといったん取締役を退任しなければなりませんが、個人再生にはそういった制限がありません。

自己破産か個人再生か

債務総額が大きすぎて任意整理はとてもできないという場合、自己破産なら債務がゼロになるため、個人再生よりもメリットとしては大きいものです。それなのに、自己破産ではなくて個人再生を選ぶというときは、個々の事情が絡んでいます。

住宅ローンを払っているけれど、自宅を守りたい。時価20万円を超える財産を持っているけれど、手放したくない。警備員などの仕事についているけれど、仕事を変えたくない。そのような事情から自己破産をすることができない方が、個人再生を選択しているのです。

4 古い借金が無効になる!?――時効の援用

借金にも時効があります。時効と聞くと、刑事ドラマに出てくる犯罪の時効のように「時効が来れば借金がなくなる」と思ってしまうかもしれません。

しかし、ただ長期間滞納しているだけで返済義務がなくなるということではありません。時効期間が経過したあと、「時効の援用」という手続きをしなければ、時効は効力を持たないのです。

時効の援用は、時効を主張する趣旨を借入先に伝えることで成立します。証拠を残すために、内容証明郵便を利用するとよいでしょう。

時効の中断

時効の進行が「中断」することがあるので、注意が必要です。中断されると、時効期間がリセットされ、またゼロから数え直すことになります。

時効が中断される要件は大きく分けて3つあります。「請求」「差し押さえ」「承認」です。この「請求」とは、裁判上の請求のことを指しています。電話や手紙で請求をしても、時効は中断されません。「請求」による時効の中断は、訴訟や支払い督促の申し立てによって発生します。

裁判所から書類が届いた場合は、内容を確認し、適切な対応を取る必要があります。引っ越したのに住民票を動かしていないなどの事情で書類が届かなかったとしても、送達したものとする手続きを取られることがあります(公示送達)。自分の知らない間に訴訟が起きていたという可能性もあるのです。

また、居留守などを使って受け取り拒否をしても届いたものとみなされる付郵便送達という制度もあります。裁判所からの通知を受け取っていないからといって、時効が中断せずに進行している、というわけではないので、注意が必要です。同居の家族が受け取ったまま、本人に渡し忘れていたというケースもありました。

時効の中断で最も多いのが「承認」です。承認というのは、支払い義務があることを認めてしまうこと。一番分かりやすいのは返済です。時効期間中にわずかな金額でも返してしまうと、せっかく積み上げてきた時効期間がリセットされてしまいます。

また、「もう少し毎月の返済額を下げてもらえませんか」といった交渉をすることも、支払い義務を承認したものと認識されて、時効が中断してしまうことがあります。

金融業者はこのあたりを熟知しています。「じゃあ、とりあえず1000円だけ、今日のところは払ってくださいよ」と返済を求め、時効を中断させようとするのは常套手段です。

時効の援用は専門家に

金融業者は、黙って時効の完成を待ってくれるようなことはありません。あの手この手を使ってきます。

また、時効の援用については、成立させるための条件などがあり、それを満たしていない場合、時効が援用できないばかりか、かえって支払い義務を認めるようなことにもなってしまいかねません。

時効については、きちんと援用できれば、その借金がすっかりなくなるのですから、慎重に行いたいところ。司法書士や弁護士といった専門家に依頼することをお勧めします。

時効を援用したら、信用情報はどうなるの？

時効の援用を行った場合、信用情報が回復されます。具体的には、「延滞」や「異動」の状態から「延滞解消」や「完済」の状態になるのです。

基本的には、何もしないのに信用情報がよくなることはありません。

信用情報が悪いままで得することは何もありませんので、古い借金をそのまま放置している場合、時効の援用を検討することをお勧めします。

コラム

時効の援用ができなかった場合はどうなるの？

時効に必要な期間（基本的には最終取引の時点から5年間）が経過しているのに、時効の援用ができない場合があります。その代表例が裁判所における手続き（訴訟、支払督促等）が取られている場合です。

知らない間にこれらの手続きが取られていた場合、本人は時効の援用で借金がなくなると思っていても、実は引き続き借金を返済する義務があることになります。しかも、その金額には長期間の遅延損害金が付加されているので、「元金50万円だったのが200万円近くに膨れ上がっていた」なんてことも起こるのです。

このような場合でも、ふくだ総合法務事務所では、引き続きお手伝いすることができます。

残っている金額が返せそうな金額の場合、少しでも遅延損害金をカットしてもらうように交渉し、残りの金額を分割で支払う合意をします（任意整理）。

また、残っている金額を返済できそうにない場合、そのまま自己破産や個人再生に移行することも可能です。

いずれにしても、借金をそのままにしておくのは危険です。時効の援用が可能かどうか、調査だけでも依頼することをお勧めします。

第4章

「もうダメだ」と思ったら、プロに相談

1　法律の専門家が借金を解決

借金を解決する方法はさまざまありますが、安全かつ確実なのは、司法書士や弁護士といったプロに任せることです。

返済に困ったら早めに相談

返済に困ったら、なるべく早く相談に行ってください。借金問題に関しては、手を打つのが早ければ早いほど、選択肢が広がります。

借金の総額が50～60万円くらいの段階で司法書士や弁護士に相談すれば、専業主婦であっても任意整理という選択肢を取れる可能性が出てきます。月に2万円くらいは自由に使えるなら、60万円を月1万円の60回払いにして2万円のうち半分を返済に充てていく。これなら、無理なく返済できるので、ご主人に秘密にしたまま解決することができます。

しかし、そのまま放っておくと、年14～15％の金利がついていくので、次第に１００万円、２００万円に膨れ上がってしまいます。こうなると、任意整理で解決することは難しいでしょう。

返済がしんどくなってきたら、「とりあえず話だけ聞いてみよう」という気軽な感じで構いませんので、早いうちに専門家の話を聞いておくことをお勧めします。

督促のストレスから解放される

司法書士や弁護士といった専門家に債務整理を依頼することで、取り立てがストップします。

支払いに追われると、「明日の返済どうしよう」と目先のことにばかり気を取られ、先々のことを考える余裕がなくなってしまいます。取り立てから解放されれば、返済計画や生活の立て直しについて考えるゆとりが生まれるでしょう。

また、債務整理中は、業者からの請求が一時的に停止し、返済をストップすることができます。返済がストップしているこの期間に、これまで返済に充てていたお金を司法書士や弁護士の費用に回すことができます。

家族に内緒にできる

家族に知られるリスクが高まるのは、貸金業者から電話や手紙が来るときです。司法書士や弁護士に依頼すれば、業者からの連絡窓口になってもらえるため、ご自宅に業者から連絡が来ることはありません。司法書士や弁護士からの連絡も、家族に知られたくない旨を伝えておけば、事務所名の入った封筒は使わないなど、配慮してもらえます。

時間と手間がかからない

債務整理は、自分で行うこともできます。しかし、これはあまりお勧めできません。インターネットの情報などを参考に、自力で進めることも確かに可能ではありますが、仕事が終わったあとや休日に一つ一つ調べながら慣れない作業をするのは、大変なことです。また、自己破産や個人再生といった裁判所への手続きをする場合には、多くの資料や書類を用意する必要があります。せっかく裁判所まで足を運んでも、資料に不足があれば、またやり直しです。

司法書士や弁護士に頼むと、債務者に代わって書類作成や債権者との交渉を行います。時間と手間をかけず、安全確実に債務整理をしたいのであれば、専門家に依頼したほうがよいでしょう。

確かな交渉力

司法書士や弁護士に払うお金がないからと自力で債務整理を行うと、結果的に損をしてしまうことも多々あります。

任意整理の場合、約束どおりの返済ができていないことが負い目となり、交渉が不利になりがちです。金融業者はプロなので、債務者が強く出られないという点や法律に明るくないということを巧みに突いてきます。過払い金を少なめに提示したり、自社に有利な和解契約書を作成したりすることもあり得ます。

司法書士や弁護士に依頼すれば、依頼者の生活状況に合ったベストな債務整理の方法を選択し、不利にならないように書類作成や交渉を行ってもらえます。

2 債務整理の依頼の流れ

全国にある無料相談窓口

司法書士や弁護士に頼む際、債務整理の無料相談窓口を設けている事務所が多数あります。まずは、そこに相談してみましょう。

インターネットで検索すると、たくさんの情報がヒットします。

債務整理をする方は、ほとんどがこの無料相談から依頼しています。インターネットで調べて最初に見つけたところに電話をし、そのままその事務所に依頼するというパターンが多いようです。

「一日も早く楽になりたい」「取り立てを止めてほしい」と焦る気持ちは分かりますが、依頼する事務所を安易に決めてしまうのはお勧めできません。法律の専門家であっても、事務所によって対応は大きく異なります。

引っ越し業者さんから相見積もりを取るように、医師にセカンドオピニオンを求めるように、債務整理の無料相談もいくつか連絡してみて、どこにするかを丁寧に選ぶようにしましょう。

事務所を選ぶ際のポイント

インターネットで検索し、バナー広告などで目についた事務所に行ってしまうケースが多いようですが、実は、手広く広告を出しているところに依頼するのは、あまりお勧めできません。

司法書士や弁護士の人数に対して過剰な件数の債務整理を受任している事務所は、交渉などを資格のない事務員がやっている場合があります。

本来、債権者との交渉は、司法書士もしくは弁護士本人がやらなければいけない業務です。

派手な宣伝に惑わされず、資格を持つ人がきちんと対応してくれる事務所を見極めて依頼しましょう。

まず電話相談をしてみて、よさそうであれば事務所に行き、司法書士や弁護士に直接会います。それを数件やってみて、しっくりくる事務所を選ぶとよいでしょう。

とはいえ、「一日も早くなんとかしたい」ということもあるでしょうから、電話でも確認できるポイントをご紹介しておきます。

・「任意整理の場合、誰が借入先と交渉をしてくれますか?」と聞く

・「任意整理の場合、50回とか60回とかでの分割は組めますか?」と聞く

司法書士や弁護士といった有資格者が交渉にあたってくれる事務所を選ぶことが大切です。また、長期分割を組んでくれる事務所であれば、交渉の姿勢や実績もしっかりしていることが窺えます。

こういったところを確認してから依頼するようにしましょう。何も調べずに、目についたところに飛び込むというのは危険です。困っているとは思いますが、焦らず比較検討をすることが大切です。

司法書士か弁護士か

債務整理を専門家に依頼する場合、司法書士に依頼するか、弁護士に依頼するかを選択することになります。

では、司法書士と弁護士、どちらの専門家に依頼すべきでしょうか？

これについての回答は、ずばり、

『司法書士か弁護士かはあまり気にしなくてよい。重要なポイントは、その事務所が信用できるか。自分の抱える問題を解決してくれそうか。安心して任せられるか』です。

一方で、弁護士に依頼をするほうが望ましい場合があります。例えば、

1　任意整理の手続きを希望する場合で、元金の金額が１４０万円を超えている業者が多数存在する場合

2　自己破産・個人再生の手続きを希望する場合で、その依頼人の管轄裁判所が、司法書士関与の申し立てと弁護士代理の申し立てで異なった運用をしている場合

3　現在個人事業をしている方が自己破産・個人再生の手続きを希望する場合（ただし、いわゆる「一人親方」など、20万円を超えるような事業用の財産や在庫を持たず、身体一

つで仕事をしておられるような方は除きます）

4　その他、事案がきわめて特殊・複雑・大規模な場合

などです。

ただ、弊所では弁護士に依頼をすべき案件について、そのまま懇意にしている弁護士に引き継ぐことも可能です。

司法書士か弁護士かはあまり気にせず、まずは専門家に相談することが何よりも重要だと考えます。

近い事務所か、遠い事務所か

一般的には近場の事務所がいいと言われています。近い事務所であれば、気軽に事務所に寄ることもできますし、書類の提出も楽です。事務所と自宅が近ければ、管轄裁判所の

近くに事務所もあるため、自己破産や個人再生の手続きの際に、面談の直前までアドバイスを受けることもできます。このように、近くの事務所に依頼すると、何かと便利で安心です。

では、遠方の事務所だとよくないかと言うと、そうでもありません。遠方であることによるメリットというものもあるのです。借金のことや債務整理をすることを周囲に知られたくないという場合、地方だと、事務所に入るのを見たとか、ちょっとしたことで噂が広まってしまいがちです。その点、遠くの事務所に依頼すれば、知人に見られる心配もぐっと少なくなります。そのため、地元ではなく、わざわざ東京の事務所に相談する方もいます。

大きい事務所か、小さい事務所か

大きい法律事務所であれば、破産管財人や個人再生委員の経験が豊富な弁護士がいる場合もあります。そういう意味では、大きい事務所には情報の集積があり、安心感もあります。

では、小さい事務所だと情報の集積が不十分かと言うと、そうとも言い切れません。大規模な企業案件とは違い、個人の債務整理をやるという点では、大きい事務所と小さい事務所との情報の差はほとんどないのです。

小さい事務所の中には、大きい事務所との差別化を図るため、親身な相談に力を入れているところも多くあります。また、大きい事務所では司法書士や弁護士1人当たりの担当件数が多くて、実際の作業は事務員がやっているということも見受けられます。

また、大きい事務所では、何か分からないことがあったとき、電話で聞いても返事に時間がかかることも。その点、小さい事務所であればきめ細かな対応が可能です。

相談前の準備

無料相談に電話をかける前に、債務状況を正確に把握することが大切です。事前にメモを用意してから電話しましょう。

よくあるのが、

「カードの支払いで苦しいんです」

「どこの会社のカードをお使いですか？　全て教えてください」

「6～7枚あるんで分からないです」

というようなケース。

自分がどこのカードを使っていて、どこから借り入れをしているのか、把握できていないことが案外多いのです。半分以上の方が自分の借り入れ状況が分かっていません。

どこから借りているか、いくら借りているか。そのくらいは把握してから電話をかけるようにしましょう。それが分かっていないと、どうしてもざっくりしたことしか答えてもらえません。結局、「正確な情報を確認してから、もう一度お電話ください」ということになってしまいます。

いつから借りているかという情報も非常に大切です。もしそれも分かるようであれば、メモしておいてください。

たとえば、借りたばかりでまだほとんど返していないという場合、その業者については任意整理が難しくなります。業者と交渉する際、「履歴を見てもらえば分かると思うけれど、まだ2回しか返していないんですよ。そういう人には譲歩できません」と言われてしまうことが、割とあるのです。

・どこから借りているか
・いくら借りているか
・いつから借りているか

この一覧をメモしてから電話をかけると、ご自身の状況に応じた詳しいアドバイスがもらえます。

債務整理の委任契約

債務整理を依頼することが決まったら、委任契約書を交わします。事務所で取り交わすのが基本ですが、出張での対応や、遠方の場合で緊急の際には、郵送で取り交わすことも可能です。

契約後すぐに受任通知を発送します。

なるべく早く相談を

前項との重複になりますが、大切なことなのでもう一度お話しします。

借金のことでお困りなら、なるべく早く相談しましょう。「明日の支払い、もうダメだ」という状態ではなく、「2～3カ月後ヤバいなぁ」という状態になったら、すぐに相談してください。

早めに手を打てば、取れる手段が多くなります。「この段階で来ていたら任意整理ができたのに、ここまで借金が膨れ上がったら、もう破産しかできない」というケースが結構あるのです。逆に、「このときに来てくれれば破産で借金ゼロにできたのに、その後ジタバタしている間に免責不許可に該当するようなことをしてしまい、個人再生しかできなくなった」ということもあります。

電話相談のあと、「やっぱり債務整理はやりません」となっても別に構いません。今、自分が客観的に見てどのような状況にあるのかを判断してもらうという意味でも、早めに「ちょっとマズいかも」というくらいで一度相談してみることをお勧めします。

ふくだ総合法務事務所の債務整理無料相談窓口
03-6451-0981
9時～24時　※年中無休　※全国対応
※予約をすれば時間外も対応可能です

3　法テラス（日本司法支援センター）

収入の見込みが立たず、司法書士や弁護士に依頼する費用が払えないという場合、法テラスを利用して債務整理をすることができます。

法テラスとは？

法テラス（日本司法支援センター）は、法的なトラブルに遭ったときに相談先や解決方法が分からない方へ、法制度についての相談窓口を案内する「総合案内所」です。

電話相談やメール相談、窓口での面談を通じて、情報提供を行っています。

また、司法書士や弁護士の費用が払えないという場合にも、法テラスを利用することができます。

法テラスの「民事法律扶助制度」

法テラスでは、財産や収入が基準以下の場合、民事法律扶助制度の利用が可能です。

民事法律扶助制度を利用すると、無料で法律相談を受けられ、司法書士や弁護士に債務整理を依頼する際の費用も、通常より安くなります。また、司法書士・弁護士の費用を法テラスに立て替えてもらい、分割で返していくこともできます。

生活保護受給者の方は、費用の減額や免除を受けられることもあります。

法テラスで債務整理をするときの流れ

①メール・電話で問い合わせ

メールや電話で、借金問題解決のための法制度について、適切な相談窓口についての情報をもらえます。

②法律相談の予約をする

メールや電話で問い合わせる際に「お金に余裕がないから民事法律扶助制度を利用したい」と伝えると、民事法律扶助窓口につないでもらえます。民事法律扶助制度の利用基準を満たしていれば、無料法律相談を予約することができます。

③無料法律相談を受ける

法テラスの事務所で、司法書士や弁護士といった専門家による無料法律相談を受けます。相談は1回につき30分、1案件につき3回まで無料で利用することができます。

④債務整理を依頼する

法律相談を受けてみて、「債務整理を依頼したい」となったら、司法書士・弁護士費用の立て替え（代理援助・書類作成援助）を申し込みます。審査に通れば、法テラスより担当の司法書士・弁護士を紹介されるので、委任契約を結びます。

なお、依頼したい司法書士や弁護士（法テラスに契約している司法書士・弁護士に限る）が決まっている場合には、持ち込みの形で法テラスの民事法律扶助制度を利用することも可能です。

生活保護受給者が債務整理をする場合

生活保護を受けている方は、クレジットカードやキャッシングの審査が通らないため、基本的に借金はできません。しかし、借金を作ってから生活保護に入った場合、借金が残っていることがあります。

生活保護費を借金の返済に充てた場合、生活保護の支給を止められてしまう可能性が出てきます。また、ただでさえ生活が厳しい状況で返済をしていくというのは、現実的ではありません。なので、生活保護を受けている方が債務整理をする場合には、分割弁済が必要な任意整理や個人再生をすることはほとんどありません。法テラスを使って自己破産をすることになります。

法テラスを利用する際の注意点

法テラスを使って債務整理をする際、注意しておきたい点があります。

▼取り立てを止めるまでに時間がかかる

「今すぐ取り立てを止めなければ困る」という方には、法テラスの利用は向きません。法テラスを利用すると、予約、相談、援助の審査、司法書士や弁護士の選定と、さまざまな手続きを経ることになります。

債務整理をすると決めても、すぐに契約できるわけではないので、取り立てを止めるまでにどうしても時間を要してしまうのです。

▼相談・依頼する専門家を選べない

法テラスを利用する場合、相談や依頼をする司法書士・弁護士を選ぶことができません。そうなると、紹介される司法書士や弁護士が債務整理の実績を充分積んでいないということも考えられるわけです。

また、相性というのも、実は大切なポイントです。債務整理の手続きには、数カ月～半年ほどかかります。その間に何度もやり取りすることになるため、話しやすいかどうかということも、見過ごせない点です。

そういう意味では、信頼できる司法書士や弁護士が見つかったら、「持ち込み」という形で法テラスに依頼するというのは、一つの解決法になるでしょう。

4 ふくだ総合法務事務所の債務整理

債務整理の手続きの流れは、どこの事務所に頼んでもだいたい同じです。しかし、その手順の一つ一つは、事務所によって実にさまざまです。

ここでは、ふくだ総合法務事務所で行っている債務整理の特徴について説明いたします。

全件、事務所トップの司法書士が直接対応

大きい事務所ではトップは経営に専念していて、依頼人と直接連絡を取らないというところが多くあります。ふくだ総合法務事務所では、多数の実績（借金問題解決件数1万件）があるにもかかわらず、常に事務所代表である私、司法書士の福田亮が対応いたします。

依頼人の方には私個人の携帯電話を名刺に書いてお渡しししていますので、依頼した件で何か困ったことがあれば、いつでも連絡してください。もちろん、クレームも直接私がお聞きします。

年中無休で対応いたします

これも、他事務所ではほとんど見られないことですが、ふくだ総合法務事務所では、土日祝日関係なく、年中無休で対応しています。事務所に行くためにわざわざ会社を休んで

いただく必要はありません。お休みの日に合わせて、ご都合のよいときにご来所ください（事前予約が必要です）。

丁寧なヒアリング

最初の無料電話相談の段階で、30分から1時間ほどかけて、しっかりヒアリングを行います。

無料電話相談を実施している事務所は数多くありますが、そのほとんどが5分か10分で終わりです。どこからいくら借りているか、職業や年収、毎月いくらを返済に充てられるかというざっくりとした情報を聞き、「任意整理でいきましょう」とか「自己破産がいいですね」ということで契約に持ち込むのです。

10分くらいで詳細な生活状況を話せる人など、まずいません。どうしても情報の聞き洩らしが出てしまいます。これでは、「任意整理でいくつもりだったのに、実は分割弁済できるほどの余裕がなかった」とか、「自己破産の予定だったけれど、破産できない事情があることがあとから分かった」という事態になりかねません。

そのようなことを防ぐため、ふくだ総合法務事務所では、無料電話相談の段階から他の事務所の何倍も時間をかけてヒアリングをしているのです。細かいところまでしっかり確認し、その後の方針がブレないように心掛けています。

面談シミュレーション

裁判所や個人再生委員、破産管財人との面談に困らないよう、細かくシミュレーションをしています。

自己破産や個人再生の書面作り自体は難しくはありません。形式的に埋めれば作ることができます。提出してしまえば、その後は裁

判所が、「これを追加で出してください」とか「ここに問題があるので反省文を出してください」といった細かな指示を出してくれるので、経験の浅い事務員でも対応できてしまいます。

しかし、書面を作って提出しただけでは、いざ本人が面談に行ったとき、何をどう答えてよいのか分からず困ってしまいます。そのようなことがないよう、ふくだ総合法務事務所ではこれまで1万件以上の債務整理を扱ってきた経験を活かし、「このケースなら裁判所はここを聞いてくるだろう」という事柄について、事前に面談の予行演習をしているのです。

徹底した家計簿チェック

裁判所に提出する書類の中に、「家計全体の状況」というものがあります。これは家計簿のようなものです。裁判所にもよりますが、だいたい申立前2カ月分くらいを提出します。債務整理の依頼を受けてから申し立てまで半年ほどかかりますが、最初の2～3カ月で家計簿をしっかりチェックします。「ここは改善すべきだ」というポイントを全て洗い出し、生活を立て直していただくわけです。ご本人が正直に書いた家計簿をそのまま提出しても、裁判官から「なるほど確かに反省しているようだね」と言ってもらえるまでにいたします。

依頼者のほとんどは、それまで家計簿をつけたことがありません。自己破産や個人再生のためだけに家計簿をつけていただくのではなく、家計簿の見方、家計の問題点の見つけ方をお伝えし、その後はご自分で家計を守っていけるよう丁寧に指導しています。

そのため、ふくだ総合法務事務所で自己破産や個人再生をしたあと、再び多重債務に陥ったという方は極めて少ないです（事業の失敗を除く）。

先回り反省文で免責を下りやすく

借金が増えた理由の中にギャンブルや浪費がある場合、免責不許可事由に該当します。また、換金性の高いギフト券などをクレジットカードで買って転売するという、ショッピング枠の現金化も、免責不許可事由にあたります。

浪費というのは、皆さんある程度やっていることなので、そこまで厳しくは見られません。多少の浪費があるからといって、すぐ管財事件扱いになるということは、あまりありません。しかし、ショッピング枠の現金化については少々悪質だということで、少額であっても管財事件になりやすい傾向にあります。

依頼者がこのようなことをしていた場合、そのままではスムーズに免責が下りません。そこで、そのような事態に陥ってしまった事情や経緯について本人から聞き取り、全てを記した長い反省文を作成します。これは、事務所指導のもと、依頼者ご本人に自筆で書いていただきます。

先手を打って反省の証を見せることで、多少問題が大きいような案件でも、免責が下りやすくなるのです。

他事務所なら敬遠するような案件も引き受けます

たとえば、生活保護中に借金をしてしまったような案件だとか、犯罪で服役していた方だとか、他の事務所では二の足を踏んでしまうような案件でも、ご本人にやり直す意思があるならお引き受けしています。

司法書士には、登記の案件については受任義務があります。しかし、債務整理や一般民事についても、受けるのも断るのも自由です。弁護士に至っては、一切の受任義務がありません。なので、大変そうな案件については、なかなか引き受けてもらえないということも起こります。

もちろん、反社会的組織に属する方、たとえばヤミ金を自分がやっていたとか、詐欺を働いていたとか、そういう方からの依頼を受けることはできません。しかし、刑務所から出てきた方であっても、反社会的組織に所属しておらず、現在生活再建のため前向きに頑張っているのであれば、お力になりたいと思っています。

他の事務所で断られたという方でも、本当にやり直したいと思っているなら、ぜひ一度、お電話をください。

おわりに

●あなたの借金問題の解決へ向けて

本書を読んでみて、いかがだったでしょうか。

『自分も似たような状態だ、もうそろそろ危ないかも知れない』と感じた方、今すぐに解決に向けて行動してください。

●債務整理に引け目を感じることはありません

借金を抱えていること、債務整理をすることに引け目を感じることはありません。当たり前ですが、債務整理というのは法制度の中で行われます。だからこそ、法律家たる司法書士・弁護士がその実務にあたっているのです。

任意整理の場合は、話し合いでお互いの落としどころを根気よく探していきますし、自己破産や個人再生に至っては、それこそ法律で細かく定められている手続きです。借金を踏み倒すという契約違反行為とは違い、法律に沿って行われる正当な権利です。

●さあ、解決に向けて動き出しましょう！

悩んでいる間にも、どんどん膨れ上がる借金。支払いのことで頭がいっぱいになると、物事をきちんと判断することができなくなっていきます。返せないと分かっていながら新規の借り入れをしたり、ショッピング枠を現金化したりといった良くない手法に手をつけてしまうことも……。

そうなる前に債務整理に精通した法律家のアドバイスを受け、一刻も早く生活を立て直しましょう。

遠慮はいりません。引け目を感じることもありません。弊所は数多くの借金問題を解決してきました。後ろめたい気持ち、毎日の不安、本当によく分かります。決して、借金の原因を責め立てるようなことはいたしません。

さあ、解決に向けての『一歩』を私たちと踏み出しましょう！

最後に、本書の出版にあたり、支えてくだった皆様に御礼申し上げます。

株式会社 Clover 出版担当編集者の桜井栄一さん、編集協力の稲田和絵さん、長きに渡り、いつも事務所を支えてくれている事務局長の西潟貴和さん、事務員の竹内庸訓さん、そして何より、これまで弊所に依頼をしてくださった数多くの依頼人の方々。

皆様がいなければ本書が世に出ることはありませんでした。本当にありがとうございました。この場を借りて御礼申し上げます。

借金問題は必ず解決できます。

借金の問題で困ったら、私たち法律家が全力でサポートいたします。

どうか安心して、私たちに頼ってください。

お気軽に相談のお電話やメールをいただければと思います。

ふくだ総合法務事務所の債務整理無料相談窓口

03-6451-0981

9時~24時　※年中無休　※全国対応

※予約をすれば時間外も対応可能です

弊所執務室にて。
皆様、次の書籍でお会いしましょう。

令和二年 二月吉日

ふくだ総合法務事務所 代表司法書士　福田亮

福田 亮（ふくだ・りょう）

法務大臣認定司法書士
東京都目黒区出身。

中学受験を経て中高一貫の進学校へ進学するも、高校２年次に中退。

その後３年間に及ぶニート生活を経て、一念発起し、平成19年度の司法書士試験に合格。続けて法務大臣認定取得。

翌年司法書士ふくだ総合法務事務所、平成28年にふくだ法務不動産株式会社を設立。

座右の銘は『望むなら、動け』。依頼人の為、年中無休で忙しい毎日を送っている。

司法書士ふくだ総合法務事務所
代表の福田亮司法書士が、平成20年に地元目黒区に設立。

債務整理、相続、成年後見、未収金の回収など、幅広く業務を展開している。

また、不動産に関する問題にワンストップで対応する為、不動産会社（現・ふくだ法務不動産株式会社）を保有している。

【解決した借金問題１万件】【金融業者から回収した過払い金12億6800万円】

など、債務整理分野については特に実績がある。

装丁／冨澤 崇（EBranch）
イラストレーション／滝本亜矢
編集協力／稲田和絵
校正協力／新名哲明
制作／（有）マーリンクレイン
編集／阿部由紀子

借金は9割返せる!

今さら聞けない…お金の悩みを解決する本

初版1刷発行 ● 2020年2月19日

著者

福田《ふくだ》 亮《りょう》

発行者

小田 実紀

発行所

株式会社Clover出版

〒162-0843 東京都新宿区市谷田町3-6 THE GATE ICHIGAYA 10階
Tel.03(6279)1912 Fax.03(6279)1913 http://cloverpub.jp

印刷所

日経印刷株式会社

ISBN978-4-908033-57-5 C0032

本書の内容に関するお問い合わせは、info@cloverpub.jp宛にメールでお願い申し上げます